Música

Para crianças

Ciranda Cultural

MÚSICA PARA CRIANÇAS

Projeto e realização:
PARRAMÓN EDICIONES, S.A.

Editor:
JESÚS ARAÚJO

Textos e revisão do original:
SUSANA PÉREZ TESTOR

Textos originais e seleção de todas as imagens:
SUSANA PÉREZ TESTOR, MARÍA EUGENIA ARUS LEITA,
ANDRÉS-LUIS MARTÍNEZ ACEYTUNO

Ilustrações:
VÍCTOR ESCANDELL

Arquivo fotográfico e de ilustração:
MARIA DEL CARMEN RAMOS

Desenho e projeto gráfico:
ALEHOP

Fotografias:
FOTOLIA, AGE FOTOSTOCK, GOOGLE, ALEHOP,
PARRAMÓN EDICIONES, S.A.

Gravação e masterização das músicas do CD:
CAPITAL SOUND STUDIOS

Produção:
SAGRAFIC S.L.

Impressão:
CHINA

Música
Para crianças

Textos:
SUSANA PÉREZ TESTOR, MARÍA EUGENIA ARUS LEITA,
ANDRÉS-LUIS MARTÍNEZ ACEYTUNO

Ilustrações: VÍCTOR ESCANDELL

Ciranda Cultural

Sumário

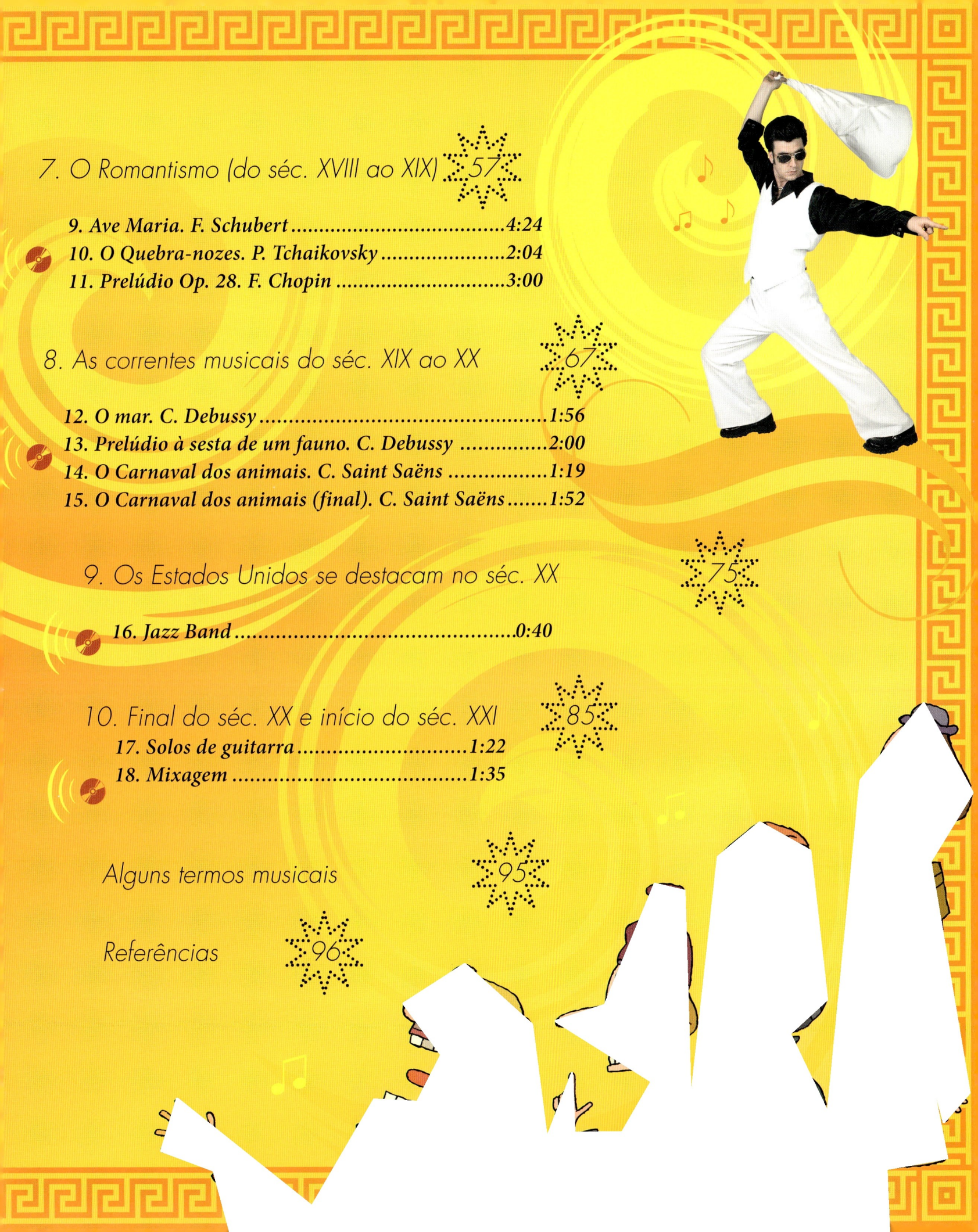

Música
Para crianças

Propomos um passeio pelo maravilhoso mundo do som, da música, da voz e dos instrumentos, ao longo de dez capítulos que seguem uma cronologia clássica que vai das origens até as manifestações musicais dos séculos XX e XXI.

Com uma linguagem simples e apropriada para as crianças a partir dos 9 anos de idade, essa obra também pode ser considerada um livro imprescindível para todos os leitores interessados no desenvolvimento e no avanço da música na História da Humanidade.

Cada capítulo se inicia com um resumo do período histórico tratado, e apresenta informações referentes aos personagens importantes, aos instrumentos relevantes, etc.; também traz minibiografias, dados históricos da evolução musical, criações mais importantes de cada época, instrumentos significativos... E, para finalizar, cada capítulo tem uma atividade prática, simples e ilustrativa do período tratado.

O livro inclui um C de fragmentos correspondem à musicais predomin

Repleto de fotografias de qualidade e ilustrações colo simples e elegantes, este livro p ainda numerosas tabelas, diagra mapas, fundos brilhantes e elemen decorativos próprios do mundo musical, que fazem dele um prec tesouro que deve ser lido, desfr e conservado.

O Editor

1. A origem da música: sons na natureza

Não existe um acordo comum sobre a origem da música, afinal existem várias teorias. A mais difundida é a de sua procedência grega. Mas a música está em todas as partes, já que os ruídos e os sons podem ser escutados e sentidos como se fossem musicais. A natureza está cheia de música.

Escute no CD a música relacionada a este capítulo.

Sons na natureza

Sabemos que a natureza está cheia de sons e que alguns podem nos dar prazer: as folhas da árvore quando se movem pelo vento, a água quando se choca contra as pedras, as ondas do mar, a chuva, as cataratas, até mesmo a madeira quando é lançada ao fogo, além de muitos outros originados no mundo natural.

Alguns sons produzidos por animais são "musicais", como o canto de certos pássaros; há também animais que emitem sons de grande intensidade, como os macacos-uivadores, cujo uivo pode ser ouvido a 5 quilômetros de distância.

Meus uivos podem ser escutados a muitos quilômetros de distância.

O que são os sons?

Os sons são vibrações que se transformam em ondas sonoras e viajam pelo ar.

Como os sons são transmitidos?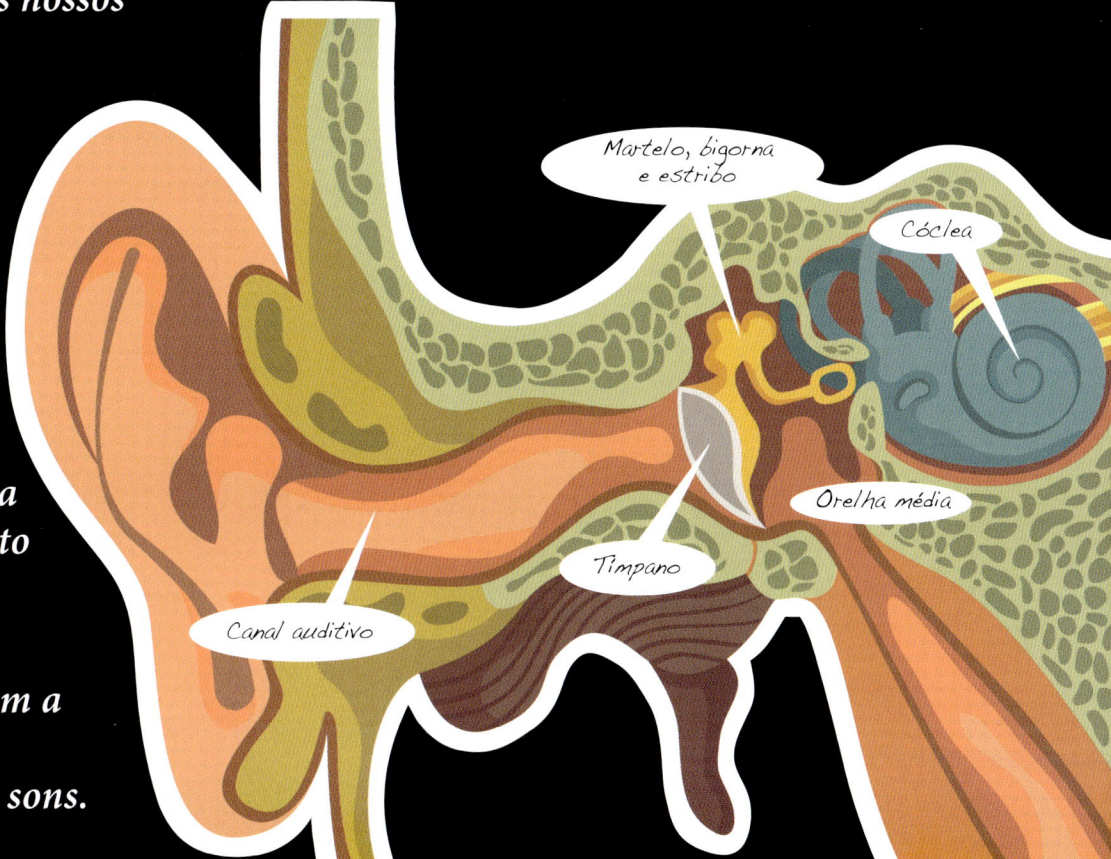

As ondas sonoras chegam aos nossos ouvidos e são transmitidas através do canal auditivo externo à orelha média. Aí, as ondas fazem vibrar a membrana do tímpano.

A vibração provoca o movimento de uma cadeia de pequenos ossinhos que, pelo seu aspecto, recebem os nomes de: martelo, bigorna e estribo; e causa o movimento do líquido dentro da cóclea.

Os nervos transformam os movimentos em sinais, enviam a informação ao cérebro e este interpreta as vibrações como sons.

Martelo, bigorna e estribo

Cóclea

Orelha média

Tímpano

Canal auditivo

Características elementares dos sons

DURAÇÃO — Som longo ou curto

ALTURA OU TOM — Som agudo ou grave

INTENSIDADE — Som forte ou suave

TIMBRE — Qualidade que permite diferenciar sons de igual altura e intensidade. Como todas as pessoas nascem com timbres de voz diferentes, podemos reconhecer a voz de um amigo somente escutando-o, sem a necessidade de vê-lo. O timbre nos permite diferenciar a mesma nota em distintos instrumentos musicais, como no piano, na guitarra, etc.

9

Sons agradáveis e desagradáveis

Os sons que nos parecem agradáveis, costumam produzir prazer. Sons que nos incomodam, os ruídos, podem provocar efeitos nocivos fisiológicos e/ou psicológicos que afetam negativamente a qualidade de vida. Esse fenômeno é conhecido como **contaminação acústica.**

Se um som, agradável ou desagradável, tem intensidade demasiada (volume), pode danificar nosso sistema auditivo. Evite escutar música com um volume muito elevado.

Primeiros objetos SONOROS reconhecidos

Nós conhecemos os primeiros objetos sonoros graças às escavações arqueológicas e à interpretação de pinturas rupestres.

10

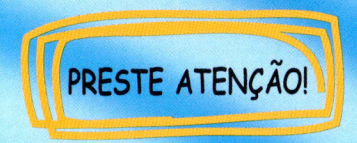
PRESTE ATENÇÃO!

DIZ-SE QUE O HOMEM PRIMITIVO IMITAVA OS SONS DA NATUREZA USANDO OS OBJETOS QUE TINHA AO SEU ALCANCE E SELECIONANDO OS MATERIAIS MAIS ADEQUADOS PARA REPRODUZI-LOS. À MEDIDA QUE O HOMEM DESENVOLVEU A CAPACIDADE RACIONAL, FOI ESTABELECENDO A DIFERENÇA ENTRE SOM CAUSAL OU INCONSCIENTE, PRODUZIDO PELA NATUREZA OU POR ELE MESMO, E O SOM ORIGINADO VOLUNTARIAMENTE COM UMA FINALIDADE DETERMINADA.

Uma lenda curiosa

Os Colossos de Memnon

No Egito, às margens do Rio Nilo, há duas estátuas enormes, os Colossos de Memnon, de 20 metros de altura, onde todas as manhãs se escutam estranhos sons agudos e prolongados. Conta a lenda que, quando Memnon morreu, sua mãe chorou amargamente e suplicou a Júpiter que ressuscitasse seu filho. Júpiter atendeu ao desejo de uma mãe desesperada e Memnon, preso nas estátuas, manifesta-se ainda hoje a cada manhã, com um canto triste como uma alma atormentada.

A explicação científica é que o som procede das vibrações produzidas pelas fendas dos Colossos quando o vento passa bruscamente do frio da noite ao calor dos primeiros raios de sol ao amanhecer.

11

Apito de falange

A maioria dos objetos encontrados nos sítios arqueológicos é, principalmente, pedras, conchas, ossos e chifres. Cada material tem suas propriedades acústicas. Um exemplo disso são os apitos de falange de rena perfurada, encontrados em Les Eyzies de Tayac, no sudoeste da França. A falange pode ser colocada na boca de dois modos diferentes: horizontalmente ou pela ponta.

Com o arco, talvez tenham conseguido produzir sons como agora, retumbando a corda com os dedos ou com uma flecha.

Horizontalmente

Pela ponta

Como as cavernas são importantes! Eco e reverberação

O homem primitivo se protegia nas cavernas e convivia diariamente com os efeitos acústicos próprios desses espaços. Se reproduzirmos sons dentro de uma gruta, podemos distinguir o eco e a reverberação.

Você pode imaginar o que representaria para nossos antepassados conhecer esses sons desconhecidos e difíceis de identificar?

Fiuuuu, Fiuuuu

Assobio gomero

Parece que os povos primitivos utilizavam sons para se comunicarem a distância. Na Gomera, uma ilha situada no Oceano Atlântico, pertencente às Ilhas Canárias, os gomeros, principalmente pastores, idealizaram uma especial forma de comunicação mediante assobios. Essa comunicação é conhecida como **assobio gomero**. Permite enviar mensagens simples de um lugar a outro. Existem aulas de assobio gomero. É patrimônio da Humanidade.

A Gomera é uma ilha do arquipélago das Canárias (Espanha).

Agora sabemos que:
O eco

é a repetição de um som sobre uma superfície refletora que volta aos nossos ouvidos. Permite escutar o som depois de ter acabado a sensação produzida pela onda sonora.

A reverberação

produz-se quando essa repetição é muito rápida e não podemos distinguir do som original. Ao se mesclarem ambos os sons, produz-se a reverberação, que normalmente é a soma de muitos ecos.

Cavernas com estalactites e estalagmites

Nas cavernas de calcário com estalactites e estalagmites, podem-se distinguir sons espetaculares quando as golpeamos com as mãos. Nem todas fazem sons quando as tocamos, mas algumas produzem ruídos realmente surpreendentes.

Fragmentos de estalactites podem ser transformados em apitos.

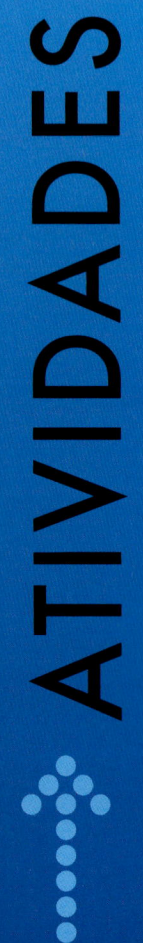

ATIVIDADES

ATIVIDADE MUSICAL

MATERIAL:
Várias garrafas de vidro e copos de cristal, um pouco de água, uma ou duas colheres.

Se soprar dentro de uma garrafa, você fará o ar que está dentro dela vibrar e isso produzirá um som. Com copos também é possível conseguir sons.

1 Encha várias garrafas de vidro com quantidades diferentes de água e bata em cada uma delas com uma colher. Aquela que contiver menos água será a que emitirá um som mais **agudo** e a mais cheia emitirá o som mais **grave**.

2 Coloque diferentes quantidades de água em alguns copos de cristal. Molhe o dedo e esfregue suavemente a borda do copo. Identifique o copo com o som mais agudo e também o que produz o som mais grave.

CLINC!

CLINC!

CLONC!

CLENC!

CLINC!

CLANC!

2. Primeiras civilizações musicais do Oriente:
Mesopotâmia, Egito, Índia e China

A música está presente em todas as culturas descobertas até agora e as tradições musicais mais antigas são, provavelmente, da Mesopotâmia, Egito, Índia e China. Graças a numerosas investigações arqueológicas, há descobertas importantes, mas muitas vezes incompletas e imprecisas.

Mesopotâmia

Mesopotâmia, situada entre os rios Tigre e Eufrates, na Ásia, converteu-se em um dos primeiros centros de civilização urbana. Foi uma zona muito avançada onde apareceram os artesãos especializados: oleiros, carpinteiros, canteiros. Deve-se ressaltar a aparição precoce da pedra polida, o cultivo de cereais, a criação de cordeiros e a escrita.

Mesopotâm

Conhecer por escavações arqueológicas!

Nas cidades de Ur e Kisch, graças às escavações das tumbas reais, foram recuperados instrumentos e representações de cenas musicais que dão ideia dos utensílios utilizados pelos habitantes da região.

Ao que tudo indica, a música tinha uma função social e era imprescindível nos rituais solenes ou familiares, além de simbolizar poder, respeito e vitória.

KISCH

UR

INSTRUMENTOS MUSICAIS na Mesopotâmia

Para ter uma ideia aproximada da classificação dos instrumentos musicais na Mesopotâmia, e os principais instrumentos usados na época de esplendor de sua cultura...

Observe os quadros seguintes!

INSTRUMENTOS DE CORDA OU CORDÓFONOS

Alaúde – Harpa – Lira

INSTRUMENTOS DE SOPRO OU AERÓFONOS

Trompete – Flauta – Chirimias duplas

INSTRUMENTOS DE PERCUSSÃO OU IDIÓFONOS

Sinos de bronze – Chocalhos – Pratos de mão

INSTRUMENTOS DE PERCUSSÃO OU MEMBRANÓFONOS

Tambores

Egito

Os egípcios mostraram seu poder com obras de enormes dimensões. Davam tanta importância à vida após a morte que converteram as tumbas, e também os templos, em suas construções mais significativas. Muitas vezes, edificavam a tumba nas montanhas para dificultar sua localização e o saque dos tesouros e objetos valiosos, entre eles, instrumentos musicais, que enterravam junto a suas múmias. As tumbas egípcias mais conhecidas são as pirâmides.

PRINCIPAIS INSTRUMENTOS no Egito

A música estava presente em cerimônias, como nas festas da corte do faraó e em outros eventos mais populares.

Estes são os instrumentos mais conhecidos pelo império dos faraós.

INSTRUMENTOS DE CORDA OU CORDÓFONOS

Harpa de curva grande
Harpa de curva pequena

INSTRUMENTOS DE SOPRO OU AERÓFONOS

Trompete – Flauta oblíqua – Clarinetes duplos

INSTRUMENTOS DE PERCUSSÃO OU IDIÓFONOS

Chocalhos – Ripas – Sistros

INSTRUMENTOS DE PERCUSSÃO OU MEMBRANÓFONOS

Tambores de cerâmica tubular
Tambores de cerâmica circular

A Música e a Dança

Os instrumentos, os músicos e os cantores costumam ser representados sempre em linha, um atrás do outro, ajoelhados ou de cócoras, e vestindo uma saia.

Entre eles, vale destacar harpistas, flautistas, clarinetistas, cantores e, em alguns casos, o maestro ou o diretor que se apresenta em pé.

As representações musicais e de dança nas tumbas eram uma forma de expressar e explicar para a eternidade o fenômeno musical e rítmico por meio das artes plásticas.

Índia

Quanto à origem da música indiana, a música hindu, diz-se que as primeiras expressões apareceram entre os anos de 3000 e 1500 a.C.

Índia

A grandeza do país, as numerosas regiões, a divisão por castas de sua sociedade e o desenvolvimento econômico favoreceram a criação de práticas musicais muito diversas, com uma clara separação entre as músicas tradicionais de caráter popular e a das elites. Os numerosos estilos musicais são tão amplos como é a cultura indiana.

O som OM

A música clássica da Índia, interpretada no norte, tem suas raízes no *Sama Veda* ou *Veda dos cânticos*. O *Sama Veda* é o documento mais antigo do qual se tem conhecimento e que foi transmitido fielmente até os nossos dias. Veda significa "sabedoria". Os **hinos védicos** tratam de um passado distante e, segundo a lenda, o deus Shiva é o senhor da **dança cósmica**, na qual cria e destrói o universo, pisoteando Apasmara, o anão da ignorância.

om

om

om

om

Segundo a tradição védica, tudo o que existe tem sua origem em uma vibração primária, em um som que se chama OM. Esse som expressado corretamente produz uma dimensão de harmonia entre o homem e o seu redor.

O deus Shiva

18

A música tradicional indiana também conhecida como Carnática ou Karnataca faz referência ao tipo de música que costuma ser escutada e composta no sul da Índia.

Viva a improvisação!

A música indiana, tão expressiva e variada, permite uma grande improvisação. Essa característica torna difícil a repetição exata de um mesmo tema musical, já que sua execução depende também de variáveis como o ânimo do artista ou o ambiente onde é interpretada. O sistema atual de escrita (que já existia na época de Buda) é utilizado para ajudar a memória dos músicos a encontrar as formas melódicas com as quais iniciaram suas improvisações.

CLASSIFICAÇÃO DOS INSTRUMENTOS DA ÍNDIA	
INSTRUMENTOS DE CORDA OU CORDÓFONOS	Sarod – Sitar – Santur
INSTRUMENTOS DE SOPRO OU AERÓFONOS	Bansuri – Murali – Venu
INSTRUMENTOS DE PERCUSSÃO OU MEMBRANÓFONOS	Tabla

Instrumentos Musicais
da Índia

Os primeiros instrumentos musicais foram uma espécie de corneta ou instrumentos de sopro.

19

Nagaswaramplayers. Quarteto com dois **nadaswaram** e dois **tavil**.

nadaswaram

tavil

China

Durante 2.500 anos, a cultura chinesa esteve dominada pelo ensino de Confúcio. A música era concebida como um meio de acalmar as paixões e assegurar a consonância pública. Tradicionalmente, os chineses também acreditam na influência que o som exerce na harmonia do universo. Uma das obrigações mais importantes do primeiro imperador de cada nova dinastia era estabelecer regras para a tradição musical da dinastia, que tentavam manter a comunidade e o cosmos em acordo.

A música chinesa é tão antiga quanto sua civilização. Entre os instrumentos descobertos nas escavações da dinastia **Shang** podem ser encontrados sinos feitos de pedra e bronze e vários **sheng**.

O sheng

O sheng é um instrumento musical de sopro composto de 17 tubos levemente inclinados para dentro. Esses tubos feitos de finas varetas de bambu têm diferentes comprimentos, que determinam as notas que se deseja produzir.

Classificação dos instrumentos chineses

Na cultura chinesa, os instrumentos musicais antigos estavam tradicionalmente divididos em oito tipos de sonoridade ou timbres de acordo com o material de fabricação:

→ Metal
→ Pedra
→ Seda
→ Bambu
→ Abóbora
→ Argila
→ Madeira
→ Couro

Características da música chinesa

A maior parte da música chinesa se baseia numa escala de cinco tons, ou pentatônica, ainda que também se utilize a escala heptatônica (de sete notas). A música heptatônica costuma ser encontrada no folclore do norte da China. O sentido de tempo (velocidade da música) é muito flexível em uma mesma composição e pode variar consideravelmente segundo o músico e o momento de sua interpretação. Uma característica da tradição musical chinesa é começar a música com uma velocidade lenta e acelerar à medida que chega ao final dela.

Ópera chinesa

Entre os distintos gêneros musicais chineses, destacamos uma forma de drama musical que costumamos denominar de ópera chinesa. Antigamente, essas óperas se baseavam em velhos relatos de heróis e contos sobrenaturais.

Os instrumentos antigos da China

21

METAL
Címbalos
Gong

SEDA
Violino
chinês
Harpa
ou Sun

COURO
Tambor
ou Ku

PEDRA
Citófono

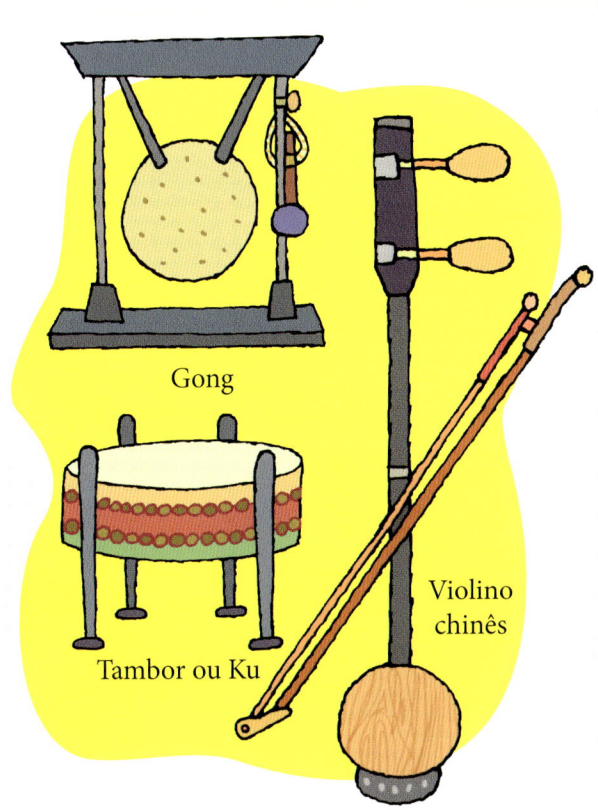

Gong

Tambor ou Ku

Violino chinês

CABAÇA
Yu
Sheng

ARGILA
Yuan
Fu

MADEIRA
Chu
Wu

BAMBU
Flauta
vertical
ou Hsiao
Flauta horizontal
ou Ti
Oboé cilíndrico
ou Kuan-tzu
P'ai-hsiao

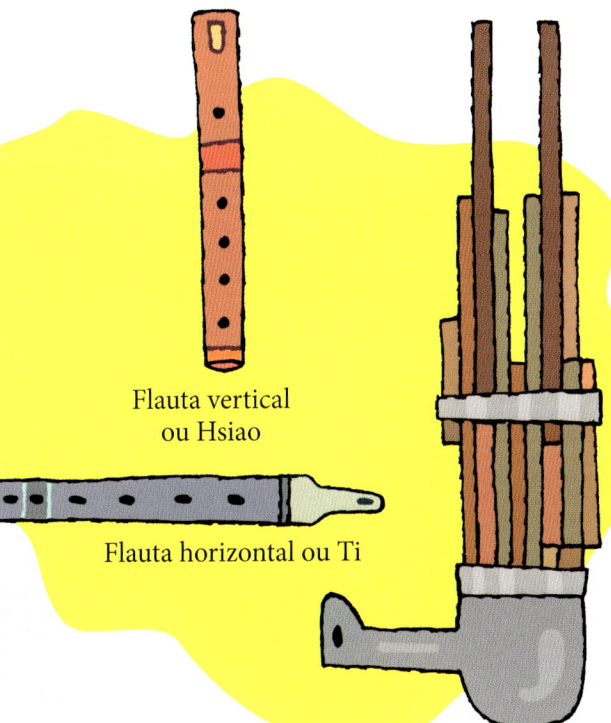

Flauta vertical
ou Hsiao

Flauta horizontal ou Ti

Sheng

ATIVIDADES

O CANTINHO NA INTERNET

Você pode ampliar seus conhecimentos consultando as exposições nos museus

British Museum – Museu britânico

As coleções que o museu abriga são muito amplas. Recomendamos principalmente as que abarcam o Antigo Egito e o Antigo Oriente Próximo. Visitar o Museu Britânico é a melhor introdução às culturas e civilizações de todo o mundo. (em inglês)

http://britishmuseum.org

Egyptian Museum – Museu Egípcio no Cairo

Possui a maior coleção de objetos da época faraônica do Antigo Egito; são mais de 120 mil objetos classificados. (em inglês)

http://egyptianmuseum.org

Musée Du Louvre – Museu do Louvre

O departamento de antiguidades egípcias possui obras que remontam a 4.000 a.C. (em francês)

http://www.louvre.fr

Metropolitan Museum

Possui um interessante departamento com 36 mil peças de arte egípcia. A coleção de instrumentos musicais é composta por 5 mil peças de todas as partes do mundo. (em inglês)

http://www.metmuseum.org

Observe as imagens visitando o You Tube:

1 Museu Egípcio no Cairo

2 A Pirâmide

3 Grandes civilizações

4 Música tradicional chinesa

5 Chinese tradicional music-bamboo flute

3. Idade Antiga: Grécia e Roma

Na Grécia Clássica, a música era considerada essencial para a educação do homem. A música era uma arte, sim, e ao mesmo tempo uma ciência que explicava a matemática, a astronomia e o restante das disciplinas que representavam as nove musas, filhas dos deuses.

A música, conjunto de disciplinas

Artisticamente, o conceito **música** era mais amplo do que o que temos na atualidade, e incluía:

O gesto	→	*expressão do corpo.*
O verbo	→	*expressão do pensamento.*
O som	→	*expressão da alma.*

Sua importância era fundamental nas representações teatrais, berço ocidental das atividades cênicas.

Conhecemos a cultura da Grécia Antiga ou Clássica pelo que perdurou até nossos dias: edifícios, esculturas, escritos e outras manifestações artísticas. Infelizmente, naquela época não existia meio de gravação algum e, por isso, não temos documentos sonoros que nos permitam saber de uma maneira precisa como era a música.

A música nas competições esportivas

Nas competições esportivas que eram celebradas em honra de Apolo, os Jogos Píticos, os músicos competiam entre si, como faziam os atletas, e os vencedores recebiam, da mesma maneira, prêmios e homenagens.

As nove musas

Filhas de Zeus e Mnemósine, elas representam as artes e as ciências, como eram entendidas na Grécia Clássica. Atualmente, ainda utilizamos o termo "musa" quando queremos nos referir à inspiração artística.

As nove musas e seus atributos:

Euterpe
Musa da música

Clio
Musa da história

Tália
Musa da comédia

Polímnia
Musa da retórica

Melpômene
Musa da tragédia

Musa da poesia lírica

Calíope
Musa da poesia épica

Musa da astronomia

Terpsícore
Musa da dança

Euterpe, musa da música

Segundo a lenda, Euterpe nasceu bela e receptiva em relação ao mundo que a rodeava. Musa da música, desde pequena gostava de imitar os sons. Uma tarde de verão, aprendeu uma linda melodia que escutou de um rouxinol. Emocionada, reuniu suas oito irmãs para interpretá-la. Todas experimentaram novas e intensas sensações, sobretudo Terpsícore (musa da dança) que, a partir daquele momento, pediu a Euterpe que cantasse para que ela pudesse dançar.

A lenda de Orfeu

A mitologia grega nos dá um exemplo do poder da música com a lenda de Orfeu. Graças às suas destrezas com o canto e os instrumentos musicais, ele conseguiu descer ao inferno para resgatar sua esposa Eurídice, morta pela picada de uma serpente. Com sua música, encantou os monstros do Tártaro e conseguiu chegar até ela. Frente à tal demonstração de amor e de coragem, Hades, deus dos mortos e o senhor do Tártaro, e Perséfone, sua companheira, decidiram devolver a vida de Eurídice com uma condição: Orfeu deveria regressar até a superfície, seguido de sua mulher, sem virar-se para olhá-la até que tivessem saído do reino infernal. No entanto, Orfeu não pôde resistir às dúvidas, e se virou. Nesse mesmo instante, sua amada morreu pela segunda e definitiva vez.

Pitágoras e a "Música das Esferas"

Pitágoras foi um erudito, filósofo e matemático que viveu na Grécia entre os anos 580 e 490 a.C. Junto aos seus discípulos e seguidores, formou um grupo que hoje conhecemos como pitagóricos. Eles explicaram o que era o mundo a partir de um ponto de vista matemático e, entre os temas tratados, com certeza também estava a música, fundamentada em relações numéricas. Fazendo vibrar cordas de diferentes longitudes proporcionais, os pitagóricos estudaram a obtenção de uma série de sons que, em primeiro lugar, agruparam numa escala de cinco notas denominada **pentatônica**. Posteriormente, e adicionando duas notas, definiram a escala que conhecemos como escala **diatônica**. Essa escala de **sete notas** se encontra de forma natural em qualquer som que tenha ressonância, isto é, **harmonia**.

Pitágoras

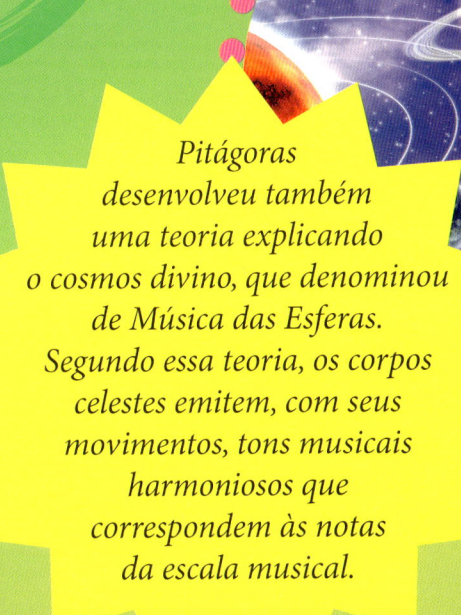

Pitágoras desenvolveu também uma teoria explicando o cosmos divino, que denominou de Música das Esferas. Segundo essa teoria, os corpos celestes emitem, com seus movimentos, tons musicais harmoniosos que correspondem às notas da escala musical.

Os sete modos gregos

Se construirmos uma escala de sete sons, ascendentes e consecutivos, partindo de cada uma das diferentes notas que compõem a escala diatônica, obteremos sete escalas diferentes: OS MODOS GREGOS.

Não devemos modificar as distâncias que há entre as notas; essa distância, em termos musicais, é denominada INTERVALO. Os gregos consideravam que essas escalas, ou modos, tinham um caráter próprio. São seus nomes: JÔNIO, DÓRICO, FRÍGIO, LÍDIO, MIXOLÍDIO, EÓLIO E LÓCRIO.

ROMA

O Império Romano misturou as influências musicais gregas com as de outros povos dominados. No princípio de nossa era, Roma dominava um extenso território que chegava do sul da Península Ibérica até o Oriente Próximo e, desde o norte da África até as costas da Normandia.

Apesar disso, o povo romano admirava a cultura grega, e por essa razão, adotou-a com preferência sobre as outras. No entanto, a importância que o povo grego havia dado à música como ciência e arte indispensável para a educação do homem desapareceu no mundo romano, que a considerou entretenimento e espetáculo em muitos acontecimentos sociais: como nas corridas de cavalo, no circo e nas representações teatrais.

Desde o século IV a.C. conhecem-se representações cênicas com música, especialmente danças com mímica.

Os deuses e os planetas

A maioria dos deuses romanos provinha dos deuses gregos e tinha seus equivalentes.

Deus grego		Deus romano		
Zeus	→	Júpiter	=	deus principal
Apolo	→	Febo	=	deus da beleza
Dionísio	→	Baco	=	deus do vinho e da festa
Eros	→	Cupido	=	deus do amor
Artemísia	→	Diana	=	deusa da caça
Pã	→	Fauno	=	deus pastoral
Ares	→	Marte	=	deus da guerra
Hera	→	Juno	=	deusa do matrimônio e da maternidade
Hermes	→	Mercúrio	=	mensageiro dos deuses
Atena	→	Minerva	=	deusa da sabedoria e da arte
Poseidon	→	Netuno	=	deus do mar
Crono	→	Saturno	=	deus do tempo
Hefesto	→	Vulcano	=	deus do fogo e dos metais
Carmenas	→	Musas	=	deusas das artes

Principais instrumentos musicais da Grécia e Roma Antigas

Na Grécia e Roma Antigas já existia uma grande variedade de instrumentos. A classificação em três famílias de instrumentos é a mais fácil: **percussão**, **sopro** e **corda**.

PERCUSSÃO

Crótalos

Trata-se de duas peças de madeira côncavas que produzem um som quando se chocam entre elas. São os antepassados das castanholas.

Pandereta

Chamada pelos romanos de *tympanon*.

SOPRO

Aulos

Esse instrumento é formado por dois bambus que são soprados ao mesmo tempo e que produzem um som agudo e penetrante. Os faunos costumam ser representados tocando-o.

Flauta de Pan

É formada por vários bambus de diferentes medidas que produzem notas distintas. Os gregos acreditavam que ela havia sido inventada pelo deus Hermes.

CORDA

Lira

Formada de cinco cordas montadas sobre uma base que desempenhava a função de caixa de ressonância. Costumava ser utilizada para acompanhar o canto ou o recital de poemas. É o instrumento mais popular dessa época. O imperador romano Nero, por exemplo, costuma ser representado com uma lira na mão enquanto vê Roma arder, em busca de inspiração.

Cítara

Parece-se muito com a lira, mas é maior, mais robusta e sua caixa de ressonância tem forma de trapézio.

Monocórdio

Esse instrumento tem uma só corda, daí deriva seu nome, montada sobre uma caixa de ressonância.

CONSTRUÇÃO DE UMA FLAUTA DE PÃ

MATERIAL:

12 canudinhos, fita isolante, tesoura, massa para modelar e régua.

1 Corte um dos canudinhos com 4 centímetros e depois corte os outros 1 centímetro maior que o anterior.

2 Estire a fita isolante e coloque-a em cima de uma mesa com a parte adesiva para cima. Cole os canudinhos na parte adesiva, um a um. Se quiser reforçar a flauta, poderá adicionar um palito de sorvete antes de terminar de colocar a fita.

3 Faça 12 bolas de massinha de modelar e coloque-as uma em cada orifício inferior dos canudinhos para que o ar não escape.

Conselho: tenha cuidado ao cortar os canudinhos para que o plástico não fique áspero.

Como tocar a flauta de Pã? Apoie a flauta no lábio inferior e sopre cada tubo para poder distinguir as diferentes notas. Você poderá soprar todos os tubos rapidamente da esquerda para a direita e vice-versa.

4. A Idade Média
(do séc. V ao XIV)

A Idade Média tinha dois tipos de música: a música popular que era interpretada por trovadores e menestréis nas cidades e castelos, e a música religiosa que os monges interpretavam nas igrejas e monastérios. Os personagens da Idade Média eram cavaleiros, princesas e reis que viviam nos castelos, monastérios isolados e cidades rodeadas de muralhas.

Escute no CD a música relacionada com este capítulo.

31

Trovadores e menestréis

A música popular na Idade Média tinha dois protagonistas: os trovadores e os menestréis. Os trovadores eram poetas que cantavam os versos que eles mesmos escreviam. Geralmente, eram poemas de amores platônicos dedicados a damas de grande nobreza. A lírica trovadoresca teve seu apogeu na região de Toulose, na França, escrevia-se em occitano, que era a língua natural do lugar, e era um dos passatempos preferidos da nobreza.

A música religiosa. O canto gregoriano

No começo da Idade Média, os cristãos estavam divididos em múltiplos grupos que não seguiam regras comuns nas cerimônias religiosas ou nas crenças. No final do século VI, um papa chamado Gregório I, o Grande, decidiu que todos esses grupos deveriam ser unificados sob uma mesma conduta. Para isso, escreveu um doutrinário chamado *Regula pastoralis*, destinado ao clero, e recopilou cânticos e hinos dos antigos cristãos num livro chamado, em sua homenagem, de *Antifonário dos Cantos Gregorianos*.

Trovadores

Guillem de Berguedà, trovador que também era um senhor feudal, escreveu um amplo cancioneiro que foi conservado quase que em sua totalidade até os nossos dias.

Menestréis

Os menestréis eram os artistas da plebe. Cantavam histórias e lendas, mas geralmente não eram autores. Suas origens eram humildes e costumavam apresentar-se com instrumentos.

Hoje em dia, conhecemos essa música como Canto Gregoriano. Trata-se de uma música cantada por um coral em uníssono, ou seja, a uma só voz, sem acompanhamento instrumental, o que na música chamamos de "a capela", com ritmo livre que é adaptado a um texto em latim e em uma escala modal. Você se lembra das escalas gregas? Alguns religiosos como Santo Agostinho as recuperou para a música religiosa da Idade Média. Na atualidade, elas são chamadas de escalas modais.

Ut queant laxis:
Um poema que dá nome para as notas musicais

No século XI as músicas já eram escritas, mas as notas eram indicadas com as sílabas do texto ou com figuras denominadas neumas. Nessa época, o monge beneditino Guido D'Arezzo batizou as atuais sete notas com as sete primeiras sílabas de um poema em latim dedicado a São João Batista, escrito pelo historiador e monge Paulo, o Diácono, no século VIII.

Ut queant laxis . . . Para que possam
Resonare fibris . . ressoar as maravilhas
Mira gestorum . . . de teus feitos
Famuli tuorum . . com largos cantos,
Solve polluti . . . . . apaga os erros
Labii reatum . . . . dos lábios impuros,
Sancte Ioannes . . . Oh, São João!

Mais tarde, já no século XVII, o musicólogo italiano Giovanni Battista Doni, substituiu a sílaba *Ut* por *Dó*, provavelmente para facilitar a leitura do solfejo. É bem possível que *dó* tenha sua origem na palavra latina *Dominus*, Deus.

33

O Cânone, um jogo de imitações

Uma forma musical muito popular durante a Idade Média foi o cânone. É interpretado por um grupo de cantores que entoam uma mesma melodia, começando-a de forma consecutiva em um determinado número de tempos. Esses intervalos estão indicados sobre a melodia com números. Ouvimos como as vozes vão entrando, e imitando e cruzando-se com atraso, provocando uma sensação de harmonia. A primeira voz é chamada de *proposta* e as que seguem, *resposta*. Os primeiros cânones datam do século XIII e são o antecedente do contraponto. São muito bonitos.

O cânone mais antig[o] é um *round* inglês d[o] século XIII chamad[o] *Summer is icumen i[n]*. Trata-se de um cânon[e] cantado a quat[ro] vozes. O termo cânon[e] para definir esse tip[o] de ob[ra] não aparece a[té] o século X[...]

34

Como podemos saber quais instrumentos os músicos da Idade Média usavam?

Foram conservadas até nossos dias, muitas informações escritas e iconográficas – relevos, pinturas, etc. – sobre os instrumentos medievais, portanto é possível ter uma ideia bastante fiel de sua aparência e de como eram usados.

Um exemplo iconográfico muito importante desse fato é o Pórtico da Glória da Catedral de Santiago de Compostela, onde podemos ver uma série de imagens de pessoas tocando os instrumentos da época.

Desde a Idade Média, é corrente o uso do verbo tocar que significa usar um instrumento musical.

Detalhe do Pórtico da Glória.

Como e onde eram utilizados esses instrumentos?

Na Idade Média, com exceção do órgão, os instrumentos musicais eram considerados algo terreno, vinculados às festas pagãs, por isso sua utilização estava restrita à música popular, excluindo-se do âmbito religioso. Para cantar as glórias a Deus, preferiam a voz humana aos instrumentos, pois, além de ser um bem concedido pelos céus, poderia articular textos que serviam para transmitir uma mensagem.

35

Geralmente, esses instrumentos se limitavam a imitar as vozes humanas, ainda que também existisse uma música instrumental de caráter festivo, popular e pagão.

Aqui você tem uma lista de alguns deles:

Percussão

Flauta

Um mesmo intérprete poderia tocar ao mesmo tempo a flauta e o tamboril. A flauta possuía apenas três ou quatro orifícios para poder ser tocada com uma só mão.

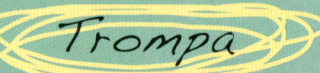

Tamboril

Instrumento parecido com nosso atual tambor, porém mais estreito e alargado. Toca-se com uma baqueta.

Sopro

Trompa

Era possível tocar com duas trompas ao mesmo tempo e tinha um formato bem diferente do atual.

Anafil

Era um tipo de corneta, de origem árabe.

Cornamusa

Trata-se de um instrumento de sopro com duas linguetas cuja origem remete à Idade Antiga.

Transformou-se na gaita de foles nos países celtas.

Cítara

Instrumento de cordas pulsadas ou ponteadas, parecido com uma harpa, mas tocado em posição horizontal. Pode interpretar harmonias.

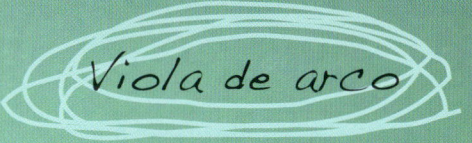

Viola de arco

Instrumento de corda tocado com arco, predecessor da viola de gamba.

Rota

Instrumento de cordas pulsadas parecido com uma cítara, derivado do saltério latino.

Cordas

Cítola

Mais um instrumento de cordas pulsadas.

Organistrum

Instrumento que combinava cordas com uma roda. Era um dos poucos utilizados para o acompanhamento da música religiosa.

Testemunhas medievais na atualidade

A Idade Média se caracteriza, entre outras coisas, por ter nos deixado um grande número de manuscritos, obra dos monges que em seus monastérios se dedicavam a transcrever e copiar documentos de todos os tipos, e a música não foi uma exceção. **Dois exemplos de grande importância histórica são as coleções de cantos goliardos escritos em latim, germânico e francês antigo, entre os séculos XII e XIII, que levam o** nome de *Carmina Burana* e *Llibre Vermell de Montserrat* que contêm uma recopilação de melodias e cantos medievais do tipo religioso. *Carmina Burana* foi encontrado na abadia de Bura Sancti Benedicti na Baviera, Alemanha, no século XIX. O *Llibre Vermell* (O Livro Vermelho de Montserrat, em catalão) encontra-se na abadia de Montserrat de Barcelona, Espanha. Seus textos foram escritos em catalão, occitano e latim.

RECICLE, DECORE E JOGUE

MATERIAL:
Arroz cru, 7 latas de refrigerante vazias, tinta, adesivo, tesoura e cronômetro.

1 Junte 7 latas vazias de refrigerante de um mesmo tamanho. Verifique se não há resto de líquidos em seu interior.

2 Coloque quantidades diferentes de arroz no interior de cada lata e feche a abertura com adesivo. Pinte-as como mais gostar.

3 O jogo consiste em agitar as latas para identificar o som e ordená-las do mais grave ao mais agudo no menor tempo possível.

Observações:
Para poder comprovar que a ordem dos sons de grave a agudo das latas é a correta, você poderá anotar de baixo de cada lata um número de 1 a 7 que identifique a ordem das latas com menos arroz até a que contiver mais arroz.

5. Do Renascimento ao Barroco
(do séc. XV ao XVIII)

No Renascimento, a produção musical – dividida entre música sacra (religiosa) e música profana (popular) –, identificou-se com o desenvolvimento da polifonia e do acompanhamento, enquanto que o Barroco foi uma época de virtuosismo instrumental que viu o nascimento da orquestra e da ópera.

Escute no CD a música relacionada com este capítulo.

39

A MÚSICA na Idade Moderna

Johann Gutenberg inventou a imprensa.

A Idade Moderna é um período da história que começa com o descobrimento da América por Cristóvão Colombo (1492) e acaba com a Revolução Francesa (1789). Foi, principalmente, um tempo de desenvolvimento técnico (invenção da imprensa).

Em relação à música, o desenvolvimento da polifonia, o aperfeiçoamento dos instrumentos e da técnica para tocá-los, assim como o nascimento de novas formas, instrumentais e vocais, caracterizaram esse período marcado, musicalmente, por um avanço no conhecimento, habilidades e estilos.

O Renascimento

Depois da Idade Média, o Renascimento trouxe para a arte uma busca dos clássicos, um retorno aos ideais da Grécia Antiga e, sobretudo, uma necessidade de afirmação do homem além do âmbito religioso que predominou no período anterior. Os cânones para a arte, recuperados da Antiguidade, nunca existiram na música, uma vez que não houve registros musicais do que foi composto na Grécia Antiga.

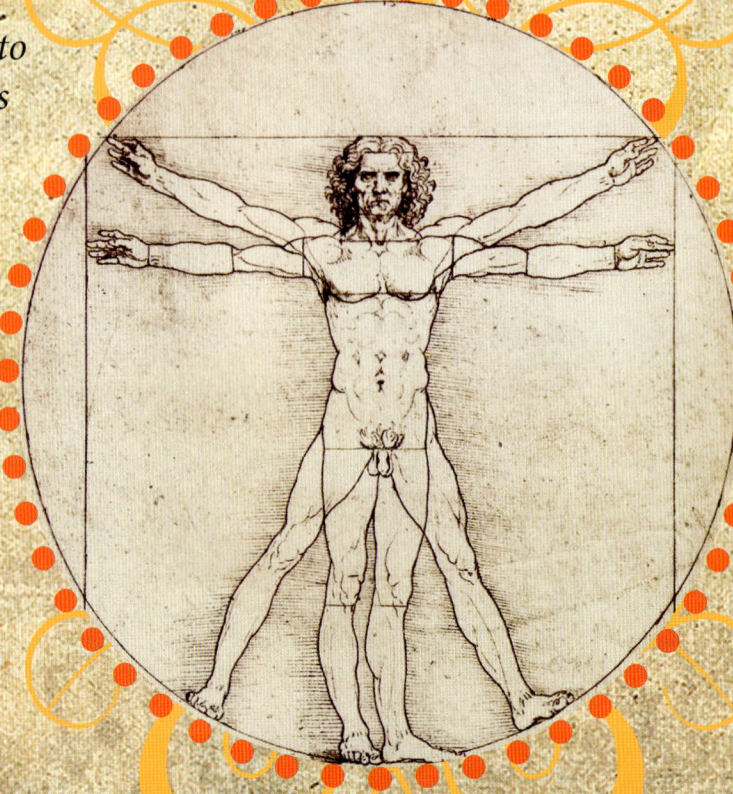

Imagem emblemática do Renascimento criada por Leonardo da Vinci.

Renasce a necessidade de ter a música presente na formação e na educação do homem, e, assim como o centro do movimento renascentista se situa no norte da Itália, a zona franco-flamenca foi de vital importância para a renovação e o avanço musical.

A MÚSICA CANTADA POR VÁRIAS VOZES

A polifonia é a música que combina simultaneamente diversas vozes ou linhas melódicas, em oposição à monofonia que possui uma só voz. Enquanto na homofonia, ouvimos várias vozes com uma só identidade, isto é, como se escutássemos uma única voz, na polifonia as vozes guardam certa independência, ainda que as escutamos simultaneamente.

COMPOSITORES
DA ÉPOCA

➡️ ## *Orlando di Lasso*

É considerado um dos principais representantes da escola holandesa, ainda que tenha trabalhado em Roma durante um ano como mestre de capela da Basílica de São João de Latrão, prestigioso posto que Palestrina ocupou depois dele. Sua obra se divide entre sacra e profana; escreveu missas, motetos, e também madrigais, chansons e liedes.

42

➡️ ## *Giovanni Pierluigi da Palestrina*

Sua obra é marcada por um âmbito religioso. Explorou a polifonia e buscou a claridade do texto utilizando, geralmente, uma técnica denominada *cantus firmus,* uma melodia preexistente utilizada como base de uma nova composição polifônica.

OS INSTRUMENTOS
do Renascimento

O interesse que as pessoas ricas tinham pela música para conseguir uma educação humanista provocou uma separação entre duas grandes famílias de instrumentos: os populares e os cultos. Estes últimos eram construídos não somente com o objetivo de soar bem, mas também de buscar uma beleza estética que, muitas vezes, tornava-os carregados de enfeites.

Nessa época também se construíram famílias de instrumentos muito amplas, como a de cordas e a de sopro.

O termo *viola de gamba* distingue os instrumentos dessa família que se colocam verticalmente descansando sobre ou entre as pernas, dos instrumentos denominados *viola de braccio,* instrumentos que são tocados por cima do braço como o violino.

O músico Jordi Savall com sua apreciada viola de gamba.

O BARROCO

O movimento musical que denominamos Barroco tem sua origem na Itália no final do século XVI, e posteriormente se expandiu pelo restante da Europa, continuando sua influência até, aproximadamente, a primeira metade do século XVIII.

A música barroca é uma música de contrastes, que marcaram o homem da época tanto artística quanto socialmente.

Outras duas características muito importantes desse período são o assentamento definitivo da **tonalidade** e da **consciência instrumental** que situará os instrumentos musicais na mesma altura que a voz humana.

Este estilo, o Barroco, que hoje reconhecemos como fundamental no desenvolvimento da história da música, nem sempre foi tão bem conceituado. Em 1768, por exemplo, Rousseau escreveu no *Dictionnaire de musique*: "... uma música barroca é aquela cuja harmonia é confusa, carregada de modulações e de dissonâncias, de entonação difícil e movimento forçado".

43

O VIRTUOSISMO

O desenvolvimento musical incentiva o desejo do instrumentista de se superar e oferece ao compositor novas possibilidades até então impensáveis. O instrumento, que até o momento não havia sido muito mais que um mero acompanhante da voz, começa a criar uma linguagem própria e inovadora que alguns músicos começam a dominar de forma excepcional. Esses músicos são conhecidos hoje como **virtuosos**, isto é, intérpretes com uma habilidade técnica extraordinária.

O virtuosismo "contra natura", levado ao extremo, chega com os **castrati**, cantores que quando crianças, e antes que mudassem a voz, tinham amputadas as glândulas genitais para interromper o crescimento da laringe.

O castrado mantinha a voz infantil com capacidade pulmonar e potência de adulto. O castrado mais famoso foi Carlo Broschi, **Farinelli.**

Os luthiers
A arte de fabricar instrumentos

Pouco a pouco, os instrumentos que haviam sido os principais durante o Renascimento, cederam terreno para as "máquinas" mais modernas e aperfeiçoadas: a **flauta posicionada verticalmente** cedeu seu lugar para a **flauta transversal** e as famílias da **violas de gamba** para a atual família de cordas: **violino, viola, violoncelo** e **contrabaixo**. Foi com esses instrumentos que toda uma série de construtores que recebem o nome de **luthiers**, conseguiu a perfeição que lhes deu uma merecida fama até hoje. Que músico atual não deseja tocar um violino construído por Amati, o famosíssimo Stradivari, construtor de instrumentos de corda de uma qualidade inquestionável que jamais foi possível imitar?

COMPOSITORES MAIS IMPORTANTES DO BARROCO

Muitos são os compositores importantes do Barroco: Claudio Monteverdi, Heinrich Schütz, Henry Purcell, Domenico Scarlatti, Johann Pachelbel, Georg Philipp Telemann e Jean-Baptiste Lully, entre outros. Lully, bailarino e violinista, destacou-se como compositor de ópera francesa – uma espécie de ópera unificada ao balé – a serviço do rei Luís XIV. Não podemos esquecer-nos do veneziano Antonio Vivaldi, compositor muito popular por seus concertos para violino e orquestra: *As Quatro Estações*.

Antonio Vivaldi

Jean-Baptiste Lully

Philipp Telemann

JOHANN SEBASTIAN BACH

e GEORG FRIEDRICH HÄNDEL são dois compositores que se sobressaem por suas criações excelentes e por sua importante influência sobre futuros compositores.

BACH e HÄNDEL

Bach é o exemplo de músico profissional, não foi um menino prodígio como muitos de seus contemporâneos e sucessores. Sua primeira peça publicada, a cantata *Gott it mein König* foi composta em 1708, quando tinha 23 anos; e chegou a ser um compositor muito produtivo. Entre suas obras, destacam-se os *Concertos de Brandenburgo* e as *Variações Goldberg*.

Händel

Händel e Bach nasceram com poucos meses de diferença e em duas localidades muito próximas: Halle e Eisenach, respectivamente. Nunca se conheceram, apesar das tentativas fracassadas de Bach.

Händel viajou para Londres para estrear suas óperas *O pastor fiel* e *Teseu*. Também em Londres, trabalhou como instrutor dos filhos do príncipe de Gales. Händel se destacou como o primeiro compositor moderno que adaptou sua música para satisfazer os gostos e necessidades do público, não os da nobreza e os dos mecenas, como era habitual.

Um cravo bem temperado é um conjunto de pequenas obras para teclado, de Bach, que contém todas as possíveis dificuldades técnicas que um intérprete pode encontrar, com o propósito, como dizia o próprio autor: "de instruir o próximo".

O nascimento da ÓPERA

O Barroco deu à luz a ópera. Nela se fundem a música, o teatro e a literatura. O antecedente desse estilo musical pode ser encontrado no final do século XVI, denominado *Drama in musica*, proposto por um grupo de intelectuais florentinos chamados *Camerata Florentina*.

Claudio Monteverdi compôs *Orfeu*, e para muitos estudiosos, a primeira ópera que marcará a estética desse novo estilo.

Jacopo Peri, membro da Fiorentina, compôs a primeira ópera, *Dafne*, baseada na tragédia grega. A partitura se perdeu, mas *Eurídice*, sua segunda obra, está integralmente conservada.

FORMAS INSTRUMENTAIS BARROCAS

SONATA: é uma forma instrumental contraposta à **cantata**. A sonata é para soar e a cantata é para cantar. Está dividida em vários movimentos ou partes.

SUÍTE: palavra francesa que significa sucessão, o que, na realidade, não é mais que isso: uma sucessão de danças encabeçadas por uma introdução chamada prelúdio.

CONCERTO: é uma forma instrumental, interpretada por formações de instrumentos de várias famílias, dividida em blocos denominados movimentos.

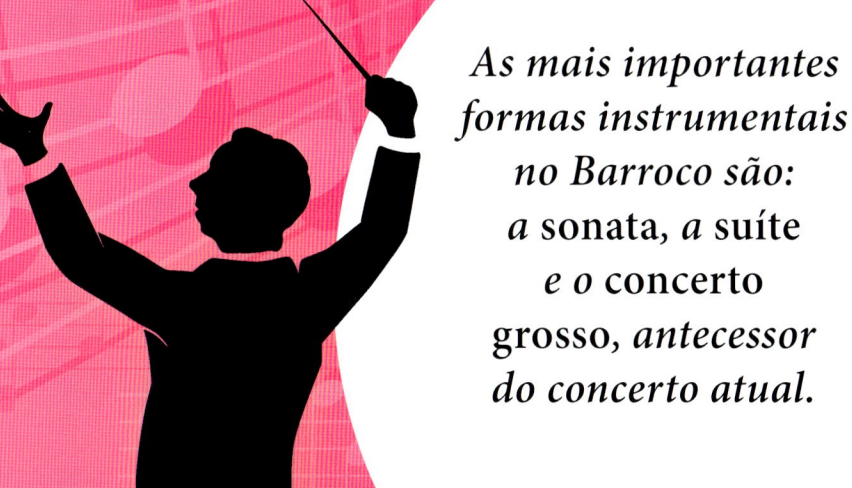

As mais importantes formas instrumentais no Barroco são: a sonata, a suíte e o concerto grosso, antecessor do concerto atual.

47

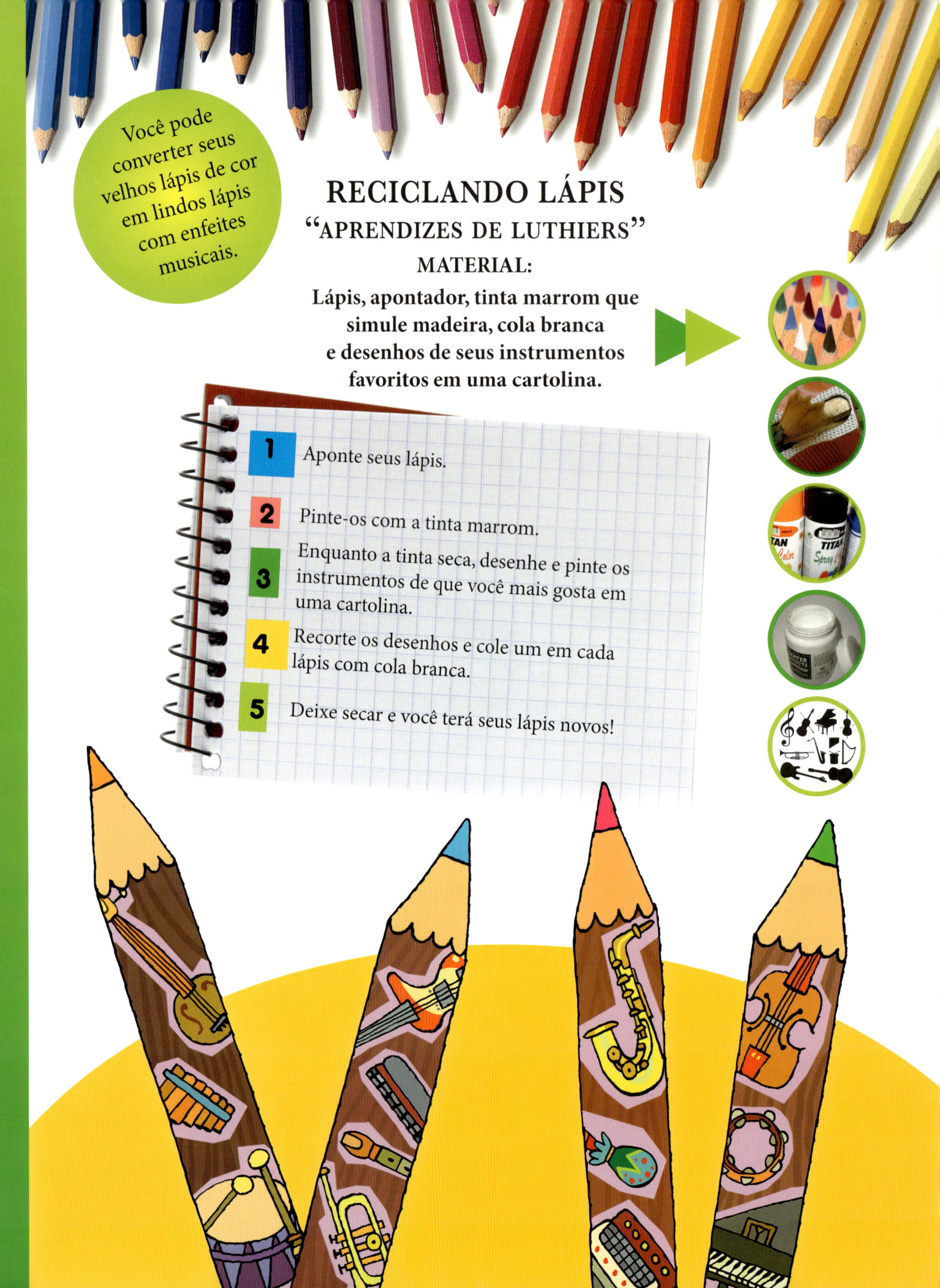

Você pode converter seus velhos lápis de cor em lindos lápis com enfeites musicais.

RECICLANDO LÁPIS
"APRENDIZES DE LUTHIERS"

MATERIAL:

Lápis, apontador, tinta marrom que simule madeira, cola branca e desenhos de seus instrumentos favoritos em uma cartolina.

1 Aponte seus lápis.

2 Pinte-os com a tinta marrom.

3 Enquanto a tinta seca, desenhe e pinte os instrumentos de que você mais gosta em uma cartolina.

4 Recorte os desenhos e cole um em cada lápis com cola branca.

5 Deixe secar e você terá seus lápis novos!

6. O Classicismo
(séc. XVIII)

A partir do século XVIII, uma nova proposta musical desbanca o Barroco. Em um primeiro momento é imposto um estilo denominado Galante, configurando-se mais tarde, em 1759, o Classicismo propriamente dito, ano que Haydn compõe sua primeira sinfonia.

Escute no CD a música relacionada a este capítulo.

49

Serenidade, equilíbrio,

O Classicismo, como estilo, é contemporâneo do período histórico do Iluminismo. Nasceu na Itália com premissas baseadas na tradição greco-romana: serenidade, equilíbrio, proporção e simplicidade.

Estilisticamente, as melodias se constroem mais simples, com frases de dois ou quatro compassos, ainda que também seja possível encontrá-las com múltiplos de quatro: oito, dezesseis... Impõem-se as repetições e a harmonia também se simplifica. Ao mesmo tempo se incrementa o uso de dinamismos (graus de intensidade do som) e diferentes tipos de tessituras instrumentais.

Três compositores com personalidade

Os compositores que representam o Classicismo são bem conhecidos por todos: **Haydn**, **Mozart** e **Beethoven**. Três compositores alemães de personalidade forte que superpõem sua produção nos 50 anos conhecidos como o MEIO SÉCULO DE OURO, núcleo do Classicismo. Os três se conheceram, influenciaram-se e aprenderam uns com os outros.

▶▶ Haydn era o mais velho e é conhecida a admiração que Mozart sentia por ele. De fato, chamava-o de "papai Haydn". A relação com Beethoven, de personalidade orgulhosa e soberba, foi muito menos afetuosa. Este chegou a reconhecer que havia recebido aul de Haydn, mas sua vaidade o levou a comentar: "nunca aprendi nada com ele".

proporção e simplicidade

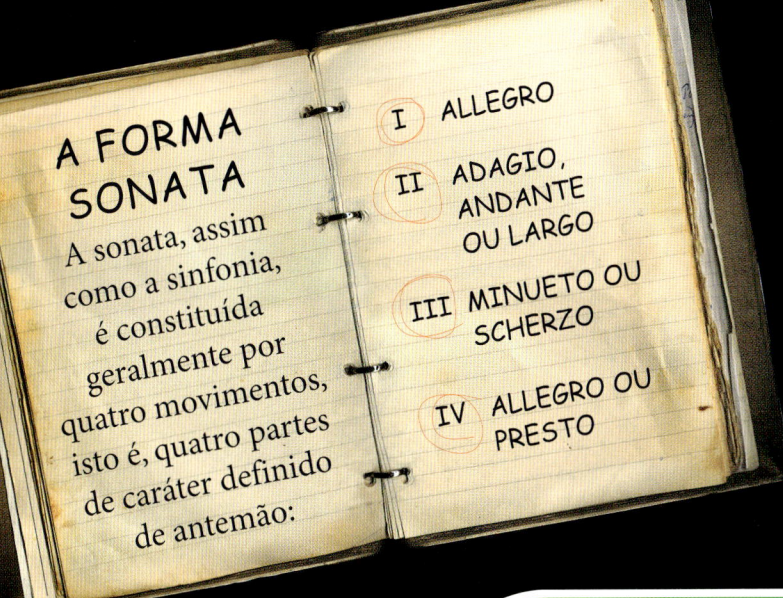

A FORMA SONATA

A sonata, assim como a sinfonia, é constituída geralmente por quatro movimentos, isto é, quatro partes de caráter definido de antemão:

I ALLEGRO

II ADAGIO, ANDANTE OU LARGO

III MINUETO OU SCHERZO

IV ALLEGRO OU PRESTO

Estes nomes italianos indicam o **ar** que deve tomar cada um desses movimentos.

Por exemplo, o primeiro, **Allegro**, deve ser alegre e rápido, enquanto que o segundo, **Adagio**, deve ser mais íntimo, profundo e lento. Na sinfonia, esses movimentos são compostos para a orquestra.

Como exemplo, podemos escutar a Sinfonia nº 94 em sol maior de Haydn, chamada "A Surpresa". A tal surpresa consiste em fortes golpes de tambor que soam no final do tema central; segundo a tradição, Haydn os incluiu para despertar os espectadores, cujos roncos na sala competiam com a orquestra.

A ópera
no Classicismo

- Durante o século XVIII, a ópera foi se consolidando como a "Arte Total", pois unia sobre um palco a música, a literatura, o teatro e a dança. Converteu-se em um fabuloso espetáculo com montagens extravagantes para a época.

- Os temas eram os mitológicos ou as tragédias heroicas. Em sua realização, cuidava-se da cenografia, do vestuário e da eleição dos cantores, que começavam a ser admirados, e inclusive venerados pelo público que, geralmente, era composto de pessoas ricas.

Ópera buffa

Óperas dirigidas a um público geral, eram mais simples e breves, com temas triviais, geralmente satíricas e burlescas. A construção musical se aproximava da música popular.

O nascimento DA ORQUESTRA

Em pleno século XVIII, a cidade alemã de Mannheim se converteu num importante centro musical. Isso foi possível devido ao seu governante, o príncipe Kart Theodor, grande amante e protetor da música. Ser um mecenas contribuiu para que uma série de compositores pudesse contar com os recursos necessários para dispor de um quadro de grupos estáveis. Esses compositores começaram a investigar novas sonoridades; abandonaram o **baixo contínuo** e o **estilo imitativo**, começaram a utilizar o **tremolo**, deram a melodia aos violinos e começaram a pensar na **harmonia vertical**, isto é, na formação pelos distintos instrumentos que, tocando notas diferentes ao mesmo tempo, formam **acordes**.

As primeiras orquestras eram formadas habitualmente por:

dois oboés, duas trompas e as cordas – compostas por primeiro e segundo violino, viola, violoncelo e contrabaixo.

Não demorou muito em incorporar duas flautas, dois clarinetes, dois fagotes, dois trompetes e tímpanos.

As mãos são vitais para reger.

"Sinfonia do adeus"

CONHECE A SINFONIA EM FÁ SUSTENIDO MENOR Nº 45 DE JOSEF HAYDN? TALVEZ COM ESSE NOME NÃO, MAS SE FOR DITO QUE TAMBÉM É CONHECIDA POR "SINFONIA DO ADEUS" É POSSÍVEL QUE VOCÊ JÁ TENHA OUVIDO FALAR.

Diz-se que o mecenas de Haydn, o príncipe Miklóz, tinha o propósito de reduzir o quadro da orquestra para moderar os gastos. Diante dessa situação, Haydn escreveu uma sinfonia nova em estilo que utiliza um recurso musical moderno e original para a época: os músicos da orquestra iam abandonando o palco durante o movimento final, extenso e lento, acabando com tão somente um violinista e o maestro no palco. Finalmente a orquestra não foi mais reduzida.

Os novos instrumentos: o CLARINETE e o PIANO

O AUGE DA MÚSICA INSTRUMENTAL, QUE JÁ VINHA SENDO UM FEITO DESDE O BARROCO, INSTIGOU OS MÚSICOS A BUSCAR NOVAS SONORIDADES. DOIS IMPORTANTES INSTRUMENTOS SE DESENVOLVERAM NA ÉPOCA DO CLASSICISMO: O **CLARINETE** E O **PIANO**.

O clarinete
Descendente direto de um instrumento antigo chamado *chalumeau*, seu uso começou discreto e secundário, mas no final do século XVIII se implantou definitivamente, adquirindo um papel importante em muitas obras, inclusive como solista. Mozart o utilizou bastante.

O piano
Iniciou sua trajetória no princípio do século XVIII, quando Bartolomeu Cristofori começou a trabalhar no desenho de um instrumento de teclas que tivesse a sensibilidade da qual carecia o cravo ou o clavicórdio, isto é, que pudesse realizar sons leves e fortes – **piano** e **forte** – daí seu primitivo nome: **pianoforte**.

Wolfgang Amadeus Mozart

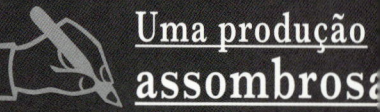

Não há dúvidas de que Mozart é um dos músicos clássicos mais conhecidos. Já em vida fez bastante sucesso. Nasceu em Salzburgo, na Áustria, em 1756, e morreu muito jovem em 1791, aos 35 anos, pouco antes da estreia de sua obra mais conhecida: "A Flauta Mágica". Foi um músico muito precoce, aos 5 anos tocava instrumentos de teclado, violino e compunha. Seu pai, Leopold, levou-o por toda Europa como se fosse uma atração de circo.

Escultura em Viena de Wolfgang Amadeus Mozart

"Minha filha de 12 anos e meu filho de 8 executarão obras dos grandes maestros. Meu filho cobrirá o teclado com um pano e tocará, e também poderá reconhecer qualquer nota de perto ou de longe..." Assim, o pai apresentava seus precoces filhos.

MOZART FALECEU NA NOITE DE 4 PARA 5 DE DEZEMBRO DE 1791. SEPARADO DE SUA MULHER, SOZINHO, NA MISÉRIA E RODEADO DE DÍVIDAS. NÃO PÔDE TERMINAR O "REQUIEN" ENCOMENDADO PELO CONDE WALSEGG.

Uma produção assombrosa

Se levarmos em conta a brevidade de sua vida, sua obra é imensa:

- ▶ 41 SINFONIAS.
- ▶ MAIS DE 30 CONCERTOS, SONATAS PARA PIANO, VIOLINO...
- ▶ ENORME PRODUÇÃO PARA MÚSICA DE CÂMARA.
- ▶ MAIS DE 60 DIVERTIMENTOS, SERENATAS E MARCHAS.
- ▶ 22 ÓPERAS.

E o que é mais incrível: a maioria delas possui qualidade inquestionável.

Dizem que Mozart memorizou só de escutar o célebre "Miserere" de Allegri, cuja partitura era guardada pelo coro da Capela Sistina, na Basílica de São Pedro do Vaticano.

A má sorte acompanhou Mozart até sua morte. Uma tempestade de neve dispersou o cortejo fúnebre e o coveiro jogou seu corpo numa fossa comum do cemitério vienense de São Marcos.

Ópera de Viena

Viena, a capital do Classicismo musical

Mannheim
Viena
Itália

Os estilos que deram lugar ao Classicismo são originários da Itália, mas posteriormente o núcleo do movimento se transladou ao centro da Europa, em primeiro lugar a Mannheim para assentar-se definitivamente na capital da Áustria, Viena. Inclusive hoje, Viena é uma cidade profundamente vinculada à música. Essa cidade foi berço da família Strauss e considerada como a capital da **valsa** que, em muitas ocasiões, escutaremos ser nomeada como "valsa vienense".

55

A transição para o Romantismo:
LUDWIG VAN BEETHOVEN

Gordinho, agressivo e com o rosto cheio de cicatrizes de varíola, não dominava a arte da conversação e tampouco era simpático; Beethoven nunca contou com os atrativos de Haydn nem com o desenfado de Mozart, no entanto, seu sentimentalismo lhe converteu num dos compositores românticos mais considerados e ponte fundamental na transição entre o Classicismo e o Romantismo.

As sonatas para piano em ré maior, "Pastoral"; em dó menor, "Patética", assim como seus primeiros quartetos de corda ou o concerto em si bemol maior, Op. 19 são exemplos de sua produção inicial.

Sua vida pessoal é digna de uma novela "romântica", repleta de amores não correspondidos e com uma surdez que, no final de seus dias, lhe impediu de ouvir sua própria música. Mas essa já é outra história, que será contada no próximo capítulo: o **Romantismo**.

UTILIZE ESTE MATERIAL OU OUTRO SIMILAR

Cartolina, cola branca, tesoura, fita adesiva, sacola plástica, gesso, palito de madeira, papel-camurça ou restos de tapete, tinta dourada brilhante e acessórios para decorar (penas, boá, rendas).

MÁSCARAS
para a ópera

1 FAÇA UM MOLDE, DESENHANDO UMA MÁSCARA NA CARTOLINA E RECORTE-A.

2 CUBRA TODO O MOLDE COM A SACOLA PLÁSTICA (DE PREFERÊNCIA TRANSPARENTE) E COLE-A COM FITA ADESIVA. TENHA CUIDADO ESPECIAL NA REGIÃO DOS OLHOS.

3 CORTE O GESSO, MOLHE-O EM UM RECIPIENTE COM ÁGUA E COLOQUE-O SOBRE O MOLDE RECORTADO.

4 DEPOIS DE SECO, RETIRE A CARTOLINA E O PLÁSTICO E COLE ATRÁS O PALITO DE MADEIRA. PINTE A MÁSCARA COM TINTA DOURADA BRILHANTE.

5 VOCÊ PODE USAR UMA TIRA DE RENDA VERMELHA.

6 SE QUISER UMA MÁSCARA MAIS ELABORADA, USE PENAS, COLA E PAPEL-CAMURÇA.

7 COLE AS PENAS NA PARTE SUPERIOR DO PAPEL-CAMURÇA ACIMA DA MÁSCARA DOURADA.

8 SUA MÁSCARA PARA A ÓPERA ESTÁ PRONTA!

7. O Romantismo
(do séc. XVIII ao XIX)

O Romantismo como corrente artística buscava romper com a ordem e com a razão, exaltando os sentimentos, a paixão, a espontaneidade e inclusive, algumas vezes, o sobrenatural. A música se contagia da literatura e os compositores se inspiram em Goethe, Schiller, Shakespeare, entre outros, para representar conflitos e situações.

Escute no CD a música relacionada com este capítulo.

57

Os sons que expressam sentimentos

No que se refere à música, pode-se apreciar a importância que conquistou a melodia, o desenvolvimento da **harmonia** variando **densidades** e **ambientes**, a utilização do cromatismo, a ampliação, no nível orquestral, da **paleta instrumental**, o **virtuosismo** e a utilização de **articulações** e **dinâmicas contrastadas**. Tudo isso ao mesmo tempo ampliava as possibilidades estilísticas até o limite; em um extremo o *lied*, termo alemão que se refere a um tipo de canção com acompanhamento de piano, intimista e simples, e no outro a **ópera wagneriana**, luxuosa e grandiloquente.

O Romantismo foi uma época de sentimentos proibidos e revoluções frustradas.

O despertar do piano: Frédéric Chopin

Você se lembra da história sobre a origem e o desenvolvimento do piano no capítulo sobre o Classicismo? O piano é um instrumento que foi ganhando adeptos rapidamente. Suas grandes possibilidades, que entre outras coisas oferecia o caráter intimista e sentimental buscado pela música romântica, seduziram os compositores e os músicos da época. Talvez um dos mais importantes tenha sido Frédéric Chopin.

Chopin

Nasceu em Zelazowa Wola, Polônia, no dia 1º de março de 1810 e morreu em Paris, França, dia 17 de outubro de 1849, aos 39 anos. Apesar de sua conturbada e curta vida, Chopin dedicou grande parte dela desenvolvendo a técnica do piano que conseguiu levar até extremos que nem pareciam reais; ainda hoje seus estudos para piano seguem sendo praticados e interpretados por muitos.

Um comentário de Berlioz a Chopin

A vida de Chopin foi:
apaixonada, curta e interrompida pela tuberculose.
O compositor e músico francês Hector Berlioz comentou:
"Chopin esteve morrendo toda sua vida".

Chopin não gostava de concertos cheios de pessoas, preferia escrever e tocar para públicos reduzidos e seletos.

A propósito de  Hector Berlioz e a orquestra

Os primeiros grandes diretores de orquestra foram também compositores, como Berlioz, que influenciou na ampliação e renovação orquestral. Autor da "Sinfonia fantástica" e considerado diretor virtuoso, escreveu passagens muito exigentes para o corne-inglês, o clarinete, a harpa, os tímpanos e outros instrumentos de percussão.

Você sabe como se agrupam os instrumentos de uma orquestra?

Cordas. Seção grande em quantidade, mas não em variedade: **violinos, violas, violoncelos** e **contrabaixos**.

Sopro. Divide-se em dois grupos: madeira e metal.

Sopro – madeira: flautas, oboés, clarinetes e **fagotes** – ampliável com **flautim, corne-inglês, clarinete-baixo** e **contrafagote**.

Sopro – metal: trompas, trompetes, trombones e **tubas**.

Percussão. Tímpanos e outros variados: **pratos, triângulo, caixa**...

Além de instrumentos de teclados como o **piano**, a **celesta** ou o **órgão**, e também a **harpa**.

Antonio de Torres, o pai do violão moderno

No começo do século XIX, o violão era um instrumento de uso muito extenso na música popular. Foi um luthier de Almería (na Espanha), chamado Antonio de Torres que fixou os cânones do violão atual, no ano de 1850:

1. Suprimiu qualquer decoração na capa do instrumento que construía com madeiras até o momento consideradas pouco nobres, como o pino, que vibravam muito melhor que as madeiras de mais qualidade, como o mogno.

2. Propôs uma longitude do braço do violão e proporções para os trastes.

3. E, o mais importante, fixou um sistema de costelas em forma de leque debaixo da capa que evitava que se curvasse ao mesmo tempo em que permitia vibrar com liberdade.

Todas essas inovações duram até os nossos dias.

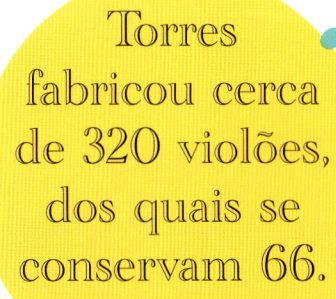

Torres fabricou cerca de 320 violões, dos quais se conservam 66.

A época dos grandes virtuosos: Franz Liszt e Niccoló Paganini

Na época romântica, os intérpretes tentavam superar os problemas técnicos executando estudos complexos, aumentando seu nível de maneira espetacular.

Franz Liszt

Nasceu em Raiding, Hungria, no dia 22 de outubro de 1811 e morreu em Bayreuth, Alemanha, em 31 de julho de 1886. Seu talento como intérprete de piano é reconhecido mundialmente e é precursor da moderna técnica de interpretação para este instrumento. Em 1831, conheceu e escutou Paganini. Deslumbrado por seu talento, propôs-se a chegar ao mesmo domínio técnico com o piano e adaptou para o teclado uma "Fantasia" sobre a "Campanella" do violinista italiano, repetindo efeitos e piruetas de insuperável técnica instrumental.

Niccoló Paganini

Tocava guitarra, bandolim e viola, ainda que sua fama se deva ao violino, que, contam as crônicas, tocava de uma maneira espetacular.

Conto sobre Paganini

Diz-se que Paganini, para tocar violino com tal destreza, havia feito um pacto com o diabo. Ele gostava de fazer espalhafatosas gesticulações enquanto tocava para entreter os espectadores. Costumava cortar as cordas de seu violino com tesoura, deixando somente uma. Com ela interpretava – alimentando essa lenda – nada menos que a "Dança das Bruxas".

Os compositores do Romantismo. Vidas de novela

A forma em que viveram muitos músicos românticos, assim como outros artistas e intelectuais do mesmo período, resultou em singulares "vidas de novela". A maioria morreu jovem, teve paixões que em várias ocasiões foram turbulentas, e uma relação com o mundo ao redor muitas vezes complicada. Entre os nomes mais importantes estão: Wagner, Verdi, Chopin, Schubert, Mendelsohnn, Schumann, Brahms, Berlioz e, sobretudo, Beethoven.

Ludwig van Beethoven

Não é exagero qualificar Ludwig van Beethoven como um dos músicos mais populares de todos os tempos. Nasceu em Bonn, Alemanha, no dia 16 de dezembro de 1770, mas passou parte de sua vida em Viena, Áustria. Dentre todas suas obras podemos destacar: nove sinfonias ou sonatas para piano ou violino e sua conhecida peça para piano "Para Elisa". Nunca desfrutou de um cargo oficial como músico e se lamentava com frequência de sua pobreza, às vezes exagerada. Por causa da surdez, seu caráter foi ficando cada vez mais retraído e seus hábitos mais descuidados. Como compositor criativo e indeciso, escrevia partituras sempre cheias de sublinhados e correções.

A "Quinta..."

Com certeza você conhece o famoso "tan-tan-tan-tan" que abre a "Quinta Sinfonia" de Beethoven. Esses quatro golpes – para alguns, estremecedores – foram identificados como a chamada do destino à porta dos escolhidos, a chamada do destino à porta de Beethoven.

Richard Wagner e Giuseppe Verdi. O esplendor cênico

Características da ópera como as paixões levadas ao extremo, o sublime e majestoso e a grandiosidade suntuosa, não foram estranhas para o Romantismo, e dois grandes compositores se destacaram mais que os demais: **Richard Wagner** e **Giuseppe Verdi**.

Wagner, o maestro alemão, músico autodidata e filho e irmão de atrizes e cantoras de ópera, personificou o músico romântico por excelência e, além de compor, foi crítico musical e filósofo. Sua amizade com Friedrich Nietzsche e seu posterior aborrecimento nunca foram escondidos.

O uso do **contraponto**, sua grandiosidade instrumental, suas harmonizações inovadoras, a beleza de suas melodias e sua preocupação por renovar a orquestra são algumas das peculiaridades que ajudam a concretizar sua grandeza musical.

Cena da ópera "Parsifal"

Franz Liszt sempre ajudou Wagner, exceto quando este manteve uma relação amorosa com a filha de Liszt, Cosima, com a qual teve filhos batizados com nomes extraídos dos personagens de suas obras, como Isolda e Sigfrido.

As óperas "Lohengrin", "Tannhäuser", "Tristão e Isolda", "Parsifal"..., baseadas na mitologia germânica, foram objetos de numerosos estudos e interpretações.

Verdi,
um símbolo para a unidade italiana

Giuseppe Verdi nasceu em La Roncole, Itália, no dia 10 de outubro de 1813, e morreu em Milão, em 27 de janeiro de 1901. Sua produção foi principalmente operística e suas inspirações se devem a alguns dos fragmentos mais populares do "bel canto". No entanto, a fama que adquiriu em um primeiro momento lhe veio dada por seu envolvimento no processo unificador da Itália. O coro "Va pensiero" de sua ópera "Nabucco" se converteu em um hino para os nacionalistas exaltados.

Entre suas composições estão algumas das obras mais conhecidas: "Aida", "Rigoletto" e "La Traviata".

O PÓS-ROMANTISMO DE

Mahler nasceu na Tchecoslováquia, porém Viena tornou-se o centro de suas atividades musicais e ideológicas. Junto a Sigmund Freud – pai da psicanálise – políticos, arquitetos e pintores da época reestruturaram as crenças tradicionais e desenvolveram novas formas de expressão, novas maneiras de ver e ouvir o mundo. Mahler se destacou como compositor com suas sinfonias, cheias de riqueza melódica e jogos de motivos musicais. Ele era casado com Alma Schindler, excelente concertista de piano e compositora de canções de êxito. O primeiro movimento da "Sexta Sinfonia" é a representação musical de sua esposa Alma. O *adagietto* de sua "Quinta Sinfonia" se fez famoso no filme "**Morte em Veneza**" em que o protagonista perde sua filha em circunstâncias similares as do próprio Mahler.

A saga dos Strauss

Os ingleses diferenciaram os Strauss nos programas de concerto com a indicação "o velho" ou utilizando a cifra romana I para se referir ao pai, que compôs a "Marcha Radetzky" e utilizando a indicação "o jovem" para se referir ao filho, autor da famosa valsa "Danúbio Azul". Ambos chamados Johann, compositores de valsas e violinistas lembrados por seus saltos e danças com o violino enquanto tocavam, foram os inventores da chamada valsa vienense, a valsa ao estilo "Strauss".

ATIVIDADE MUSICAL

MATERIAL:
Um jornal, se possível do dia.

Você se lembra que os compositores "românticos" se inspiraram em textos de sua época? Inspire-se com notícias atuais.

1 A atividade consiste em recortar notícias ou manchetes do jornal. Depois, decide-se quais notícias interessam a todo o grupo.

2 Uma vez recortadas, colocam-se no centro do grupo de maneira que sejam visíveis para todos.

3 O participante mais jovem do grupo começa o jogo. Escolhe uma notícia ou manchete sem dizer aos demais e interpreta cantando ou com algum instrumento musical os ambientes ou sentimentos que descrevem a notícia.

4 Os outros participantes devem adivinhar qual foi a notícia escolhida.

8. As correntes musicais
do séc. XIX ao XX

O Nacionalismo Musical é um movimento que surge na segunda metade do século XIX com o objetivo de reafirmar os valores essenciais de cada nação por meio de sua música popular e de seu folclore. Camille Saint-Saëns (1835-1921) renovou a música francesa. Foi um dos fundadores da "Sociedade Nacional da Música" na França.

Escute no CD a música relacionada com este capítulo.

67

NACIONALISMO MUSICAL

Os compositores buscam novas expressões musicais baseadas nos ritmos e danças de seus países. Nasce como reação à pressão do Romantismo, que invade e condiciona a música europeia do momento.

Noruega

Rússia

Hungria

Espanha

| RÚSSIA | HUNGRIA | NORUEGA | ESPANHA |

Os lugares onde foi possível notar com mais força esse movimento foram nos países que, como a Rússia, Hungria, Noruega e Espanha, por estarem muito tempo sob a influência germânica ou italiana, sentiram a necessidade de criar algo distinto, buscando as raízes de seu próprio povo.

COMPOSITORES E ESCOLAS NACIONALISTAS

Escolas, compositores e obras mais representativos do Nacionalismo

Escolas	Compositores	Obras
RUSSA	Alexander Borodin Modest Mussorgsky Nikolai Rimsky-Korsakov	Danças polovtsianas Quadros de uma exposição Scheherazade
HÚNGARA	Béla Bartok Zoltán Kodaly	Danças romenas Concertos para orquestras
NORUEGUESA	Edward Grieg	Peer Gynt
TCHECOSLOVACO	Antonin Dvorák	Sinfonia do Novo Mundo
ESPANHOLA	Manuel de Falla Isaac Albéniz Enrique Granados	O amor bruxo Ibéria Goyescas

Impressionismo

O Impressionismo é um movimento artístico que aparece na pintura francesa em 1860. Este nome nasceu a partir da obra de Claude Monet, *Impression, soleil levant* (*Impressão, nascer do sol*). Esse termo não aparece na música até o ano 1887.

Como é a música impressionista?

A melodia, a harmonia e o ritmo contribuem para criar uma atmosfera relacionada com a natureza. Dois claros exemplos: **Jardins sous la pluie** (Jardins sob a chuva) e **Printemps** (Primavera) de Claude Debussy.

O timbre dos instrumentos ajuda a compor um tipo de música de ambientes inspiradores, sugestivos e adequados para criar a impressão que dá nome ao movimento.

Claude Debussy

Claude Debussy (1862-1918), compositor francês, é o grande representante da escola impressionista junto a Maurice Ravel. Iniciado por Debussy, fez-se corrente o emprego de muitas notas tocadas quase ao mesmo tempo, como os glissandos. A música tende a provocar correspondências sensoriais entre o ouvido, a visão, o olfato e o tato.

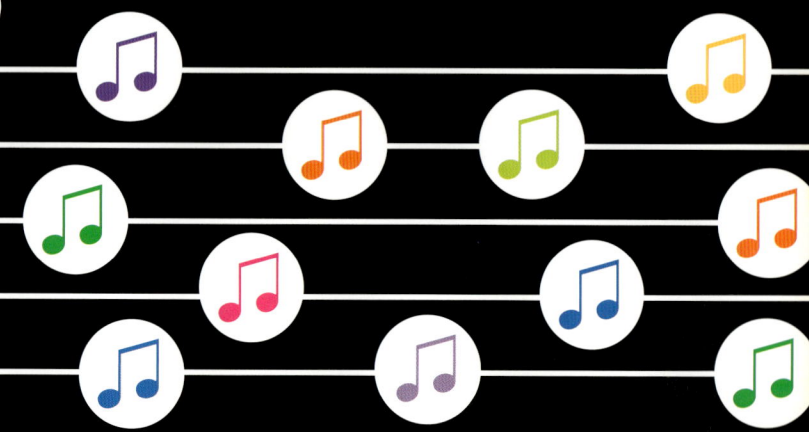

Você sabe o que é um glissando?

É um movimento contínuo ou deslizante de uma nota a outra. No piano se passa, quase sempre rapidamente, a unha do polegar ou do dedo médio, ou a lateral do indicador, sobre as teclas brancas ou teclas pretas, produzindo assim uma escala rápida.

Obras mais conhecidas de Debussy:

- **LES PARFUMS DE LA NUIT** (Perfumes da Noite)

- **PRÉLUDE À L'APRÈS-MIDI D'UN FAUNE** (Prelúdio à sesta de um fauno)

- **LA MER** (O mar)

As imagens evocadas são quase tão importantes quanto a música.

Maurice Ravel *um glissando*

Maurice Ravel (1875-1937), compositor francês, criou diversas obras para os balés russos do empresário Serguei Diaghilev.

Obras mais conhecidas de Ravel:

- **"Daphnis et Chloé"** (Dafne e Cloé)

- A ópera **"L'enfant et les sortilèges"** (A criança e os sortilégios)

- Sua obra mais famosa é o **"Bolero"** que foi encomendada pela empresária e bailarina Ida Rubinstein. Estreou em Paris, na Ópera Garnier, com coreografia de Bronislava Nijinska.

Ravel descreveu sua obra como: "uma dança em um movimento moderado e constantemente uniforme, tanto pela melodia quanto pela harmonia e o ritmo. Este último marcado constantemente pelo tambor. O único elemento de diversidade é ocasionado pelo crescimento orquestral".

UMA CARACTERÍSTICA MUSICAL DO "BOLERO" É O **OSTINATO**, PALAVRA ITALIANA UTILIZADA PARA INDICAR A REPETIÇÃO DE UM RITMO, PASSAGEM OU FIGURA MUSICAL.

71

Início do movimento artístico do século XX

O século XX foi marcado por grandes mudanças e relevantes acontecimentos históricos. A industrialização, a tecnologia e a globalização modificaram de maneira rápida e profunda a forma de vida das pessoas. Cada vez mais condicionado por uma civilização industrial, o homem deseja afastar-se da ruidosa e movimentada vida das grandes cidades europeias.

NOVO NACIONALISMO RUSSO

Igor Stravinsky (1882-1971)

Foi um dos compositores russos mais influentes da música do século XX. Sua grande variedade de obras mostra influências muito diversas. Rompe violentamente com o estilo e com a tradição musical anterior. Revoluciona o uso do ritmo: irregular, imprevisível.

> **SUAS TRÊS OBRAS MAIS CONHECIDAS:**
> "O Pássaro de fogo" (1910)
> "Petrushka" (1911)
> "Sagração da primavera" (1913)

A **"Sagração da primavera"** pode ser considerada como uma obra inicial da música clássica do século XX. É uma obra que claramente causa ruptura, em que se utiliza a orquestra como um gigantesco instrumento de percussão. Destaca a melodia inicial do fagote e apresenta uma grande variedade rítmica: polirritmos, síncopes, combinações irregulares de figuras e mudanças constantes de medidas.

EXPRESSIONISMO MUSICAL

Vassily Kandinsky

Composição expressionista.

O movimento expressionista nasceu na Europa, em especial, na Alemanha, e se manifestou nas vésperas da Primeira Guerra Mundial. Caracterizou-se pela expressividade subjetiva da arte, muitas vezes tingida com pessimismo, devido aos acontecimentos traumáticos do momento. Estendeu-se a todas as esferas da atividade artística. Destacam-se por sua ruptura com as regras tradicionais da arte o pintor Vassily Kandinsky e o músico Arnold Schönberg. Os dois eram amigos e mantiveram diálogos interessantes entre música e pintura.

Arnold SCHÖNBERG
E a técnica dodecafônica

Arnold Schönberg, compositor, teórico musical, professor, pintor e poeta, desenvolveu em 1921 a técnica dodecafônica. Essa técnica tem como base os 12 sons. Os sons não podem ser repetidos até que não tenham aparecidos todos, buscando romper com a tonalidade.

VOCÊ SABE QUANTAS NOTAS EXISTEM?

Para essa pergunta, a maioria responderia sete. Na realidade, não é bem assim. Existem 12 notas, sete naturais e cinco alteradas, que sobem ou descem a altura da nota principal – o que conhecemos na música como sustenidos e bemóis. Existe a nota dó e meio tom acima, a nota dó sustenido. Esses são os 12 sons com os quais Schönberg brincou.

JOGO DE RITMOS

MELHORE SUA CAPACIDADE DE REAÇÃO COM O JOGO DOS ACENTOS MUSICAIS. VOCÊ RECONHECE ALGUM RECURSO MUSICAL UTILIZADO NA MÚSICA DO SÉCULO XX?

Material
Cartolinas e canetinha preta.

1 Cada jogador desenha um dos quatro ritmos que apresentaremos a seguir em uma cartolina. Cada ponto representa uma batida ou som e o espaço em branco, o silêncio. O ponto maior representa que a batida é forte e os pontos menores representam batidas suaves. Todas as cartolinas devem ter o mesmo tamanho e cor. Deve-se ter o mesmo número de cartolinas e jogadores.

pam pam pam pam   pam **pam** pam pam   pam pam **pam** pam   pam pam pam **pam**
● · · ·   · ● · ·   · · ● ·   · · · ●

2 Jogo de reação. Os jogadores sentam-se ao redor de uma mesa e no centro se coloca, em um só monte, todas as cartas de cabeça para baixo. Repartem-se todas as cartas e cada jogador memoriza o ritmo.

3 Quem começa reproduzindo o ritmo é o jogador mais jovem do grupo e os demais o repetem. Mostra-se a carta que foi interpretada para poder comprovar que foi bem realizado e a deixa para cima, à vista de todos.

4 Quando todos já tiverem apresentado sua sequência, reproduzem-se todos os ritmos seguidos como se fosse uma partitura. Pode-se fazê-los batendo na mesa com as mãos ou com os nós dos dedos ou utilizando outros recursos como os sons bucais.

9. Os Estados Unidos
se destacam no séc. XX

América do Norte se converte em centro mundial da música. O jazz e suas variantes fizeram dos Estados Unidos o núcleo principal da música no princípio do século XX. O swing, o bebop, a música no cinema, os musicais, etc., abriram caminho ao rock e ao pop, e se observou com nitidez a grande importância que teriam os diferentes meios e canais de difusão das tendências musicais do mundo.

Escute no CD a música relacionada com este capítulo.

Origens do Jazz

O jazz é um gênero musical que reflete a vida norte-americana do século XX. Suas origens reportam à época da escravidão, quando os africanos foram tirados de sua terra natal para trabalhar nos povoados do sul dos Estados Unidos. Os afro-americanos entoavam canções enquanto trabalhavam, e estas se concretizaram em três gêneros: o *Work song* (canção de trabalho), o *Negro Spirituals* e o *Blues*.

A palavra jazz aparece no ano de 1913, quando Ernest J. Hopkins, um colunista do jornal de San Francisco, escreveu um artigo no qual definiu jazz como se fosse uma onomatopeia, que significava vida, força, energia, vivacidade, inspiração...

Você sabe o que é um ragtime?

O ragtime já era um gênero popular no começo do século XX. Baseado em melodias sincopadas sobre um ritmo de marcha, influenciou o jazz. Geralmente, o ragtime é interpretado no piano, onde se combina o toque fortemente acentuado na mão direita e uma batida contínua na esquerda. Um dos compositores mais conhecidos é Scott Joplin.

NEW ORLEANS

Louis Armstrong

*D*izem que o jazz nasceu na cidade de Nova Orleans. Era uma cidade cosmopolita, com população francesa, inglesa, espanhola e africana, situada na foz do Rio Mississippi. O extraordinário ambiente dessa cidade convivia com numerosos estilos musicais que provinham das distintas nacionalidades de seus habitantes, e que impulsionaram as primeiras gerações de grandes músicos de jazz. Um exemplo deles é Louis Armstrong.

Nasceu em Nova Orleans e foi um dos mais famosos trompetistas e cantores de jazz. A princípio tocava corneta na pequena orquestra de um reformatório. Mais tarde, aprendeu a tocar trompete e se rodeou dos melhores músicos do momento.

Em Nova Iorque, os discos em que Louis Armstrong participava eram comprados até se esgotarem.

Suas gravações mais apreciadas são:"When the saints go marching in","Hello Dolly!" e"What a wonderful world".

Os instrumentos de jazz

Os afro-americanos aprenderam a tocar sozinhos. Imitavam a voz humana com o timbre de seus instrumentos, que acostumaram a tocar improvisando.

O **contrabaixo**, a **guitarra** e o **banjo**, instrumentos de corda, eram a base rítmica sobre a qual se desenvolvia a peça musical.

Conta-se que quando começou a guerra civil nos Estados Unidos, o exército do Norte preferia não dar armas aos afro-americanos e os destinava, salvo em poucas exceções, às bandas de música.

Com o passar do tempo, foram introduzidos instrumentos de sopro: saxofone, trompete, trombone e clarinete.

No caso do trombone e do trompete, o emprego de surdinas como a "wa-wa" (uma espécie de desentupidor de tubulações) permitia aproximar-se mais da voz humana.

O que é o swing?

A palavra swing significa, em português, balançar-se. O swing se define como aquela **pulsação rítmica** própria da música em geral e do jazz em particular. Essa pulsação é diferente àquela da música europeia e se fundamenta na acentuação dos tempos débeis do compasso (o segundo e o quarto). Outra característica musical é a forma de medir o tempo, em vez de subdividi-lo em dois, subdivide-se em três.

O swing não pode ser escrito em uma partitura, ele é produzido pelo músico durante a interpretação e provoca em quem escuta o desejo de se balançar, mover-se, acompanhar o ritmo e dançar.

A era do swing e das grandes orquestras

O período no qual o jazz foi interpretado por grandes orquestras, por volta dos anos 1930, foi chamado de "era do swing" com famosos instrumentistas como: Duke Ellington, Count Basie, Jimmy Lunceford e outros como Tommy Dorsey e Benny Goodman. Para tocar jazz, era imprescindível dominar a improvisação; em geral, as orquestras, ou grupos, apresentavam a peça tocando-a uma vez com sua melodia original, seja ela cantada ou instrumental, depois os distintos músicos passavam a improvisar sobre a harmonia e o ritmo da peça que lhes proporcionava a seção rítmica, para acabar voltando a interpretar a melodia original.

George Gershwin: um músico blue (azul)

George Gershwin nasceu em Nova Iorque em 1898. Sua ópera "Porgy and Bess" e suas obras sinfônicas "Rapsodia in blue" ou "Um Americano em Paris" são um claro exemplo dos novos ritmos. Gershwin faleceu muito jovem, mas sua obra influenciou profundamente os músicos de todos os estilos.

Gershwin foi a Paris e tentou receber aulas de Igor Stravisnsky, e quando o pediu, este lhe perguntou quanto dinheiro havia ganhado no ano anterior, Gershwin lhe respondeu que 200 mil dólares, e o maestro lhe replicou: "Então sou eu quem deveria ter aulas com você".

A sessão *jam*

Uma das formas mais populares de interpretar o jazz são as chamadas *jam sessions*. Nessas sessões musicais, qualquer músico que deseje pode subir no palco e tocar. Dessa maneira, juntam-se instrumentistas de diferentes qualidades e estilos, que, sem ensaio prévio, dão à peça o espírito do momento, espontâneo e que não se pode repetir.

O bebop.
Um estilo virtuoso

Na década de 1940, uma série de intérpretes desenvolveu uma forma de tocar jazz absolutamente virtuosa. Alguns músicos jovens começaram a se preocupar em buscar novas frases e pela variação das harmonias tradicionais em lugar de manter a expressão e o swing próprios do jazz. Suas improvisações sobre complexas harmonias e a velocidades vertiginosas ainda hoje são exemplos para quem deseja dominar esse estilo musical. Esses músicos costumavam levar a vida ao limite, assim como sua música. Alguns dos mais famosos foram: Charlie Parker, Dizzy Gillespie e Miles Davis.

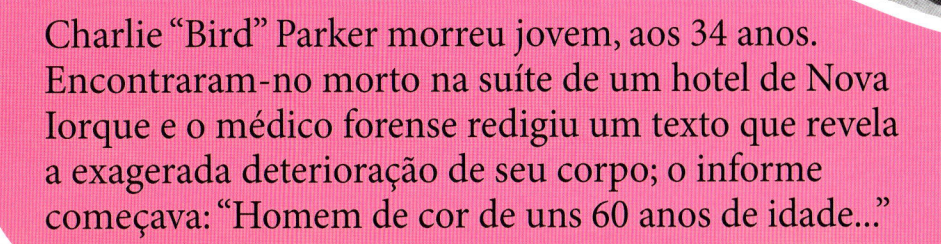

Miles Davis

Charlie "Bird" Parker morreu jovem, aos 34 anos. Encontraram-no morto na suíte de um hotel de Nova Iorque e o médico forense redigiu um texto que revela a exagerada deterioração de seu corpo; o informe começava: "Homem de cor de uns 60 anos de idade..."

O jazz na Europa

O estilo americano por excelência também teve sua repercussão na velha Europa. Talvez o expoente mais relevante fosse o jazz francês e se falamos desse estilo devemos fazer referência ao quinteto "Hot Club de França". Pertenciam a esse grupo dois dos músicos europeus de jazz mais importantes: o violinista Stèphane Grappelli e o guitarrista Django Reinhardt, que tinha somente três dedos úteis na mão esquerda.

81

A música no cinema

Num primeiro momento, o cinema não tinha som, era chamado de cinema mudo. Muitos dos grandes pianistas começaram improvisando, diretamente, sobre as imagens do cinema mudo nas primeiras salas de exibição como Count Basie. A incorporação de som nas imagens em movimento abria um mundo de possibilidades. Imagine o mar ao entardecer visto de uma praia: é uma imagem romântica que transmite sossego. Com isso, os diretores ganharam uma poderosa ferramenta.

"O cantor de jazz" e "Cantando na chuva"

Em 1927, aconteceu a estreia do primeiro filme totalmente sonoro: "O cantor de jazz", de Alan Crosland. O filme de 1952, "Cantando na chuva", protagonizado por Gene Kelly e dirigido por ele juntamente com Stanley Donen nos mostra quanto foi complicado para atores, técnicos e diretores do cinema mudo adaptar-se à nova situação que lhes obrigava a sincronizar a imagem com o som. A cena mais famosa é quando Gene Kelly dança sob a chuva com um guarda-chuva.

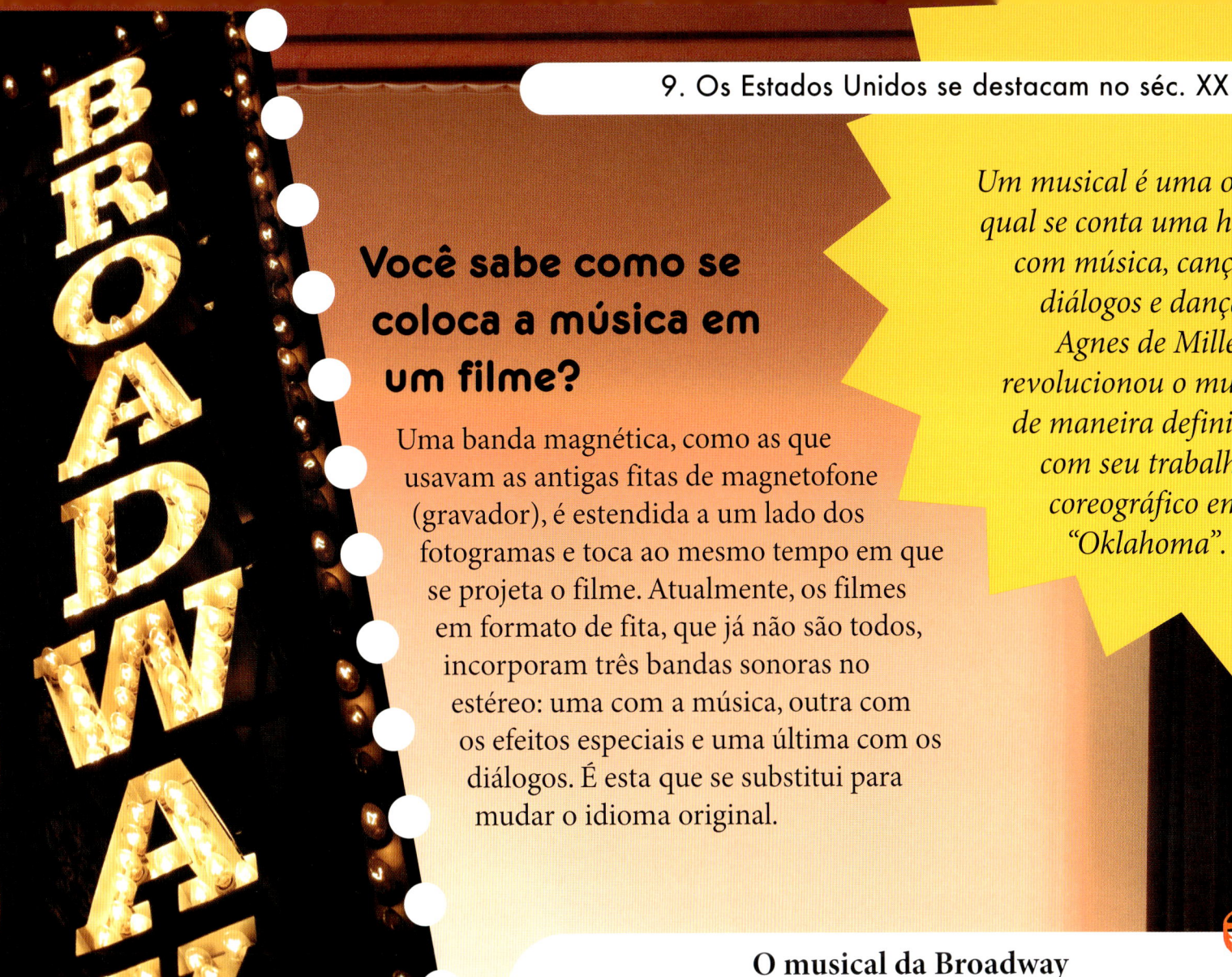

Você sabe como se coloca a música em um filme?

Uma banda magnética, como as que usavam as antigas fitas de magnetofone (gravador), é estendida a um lado dos fotogramas e toca ao mesmo tempo em que se projeta o filme. Atualmente, os filmes em formato de fita, que já não são todos, incorporam três bandas sonoras no estéreo: uma com a música, outra com os efeitos especiais e uma última com os diálogos. É esta que se substitui para mudar o idioma original.

Um musical é uma obra na qual se conta uma história com música, canções, diálogos e dança. Agnes de Mille revolucionou o musical de maneira definitiva com seu trabalho coreográfico em "Oklahoma".

O musical da Broadway
Nos teatros da Broadway, uma mesma ideia atuava como proteção para qualquer imprevisto: "That's entertainment", todos deveriam estar felizes.
Que comece o espetáculo!

Compositores e musicais mais conhecidos

"My fair lady"
Frederick Loewe
"Cabaret"
John Kander

"West side story"
Leonard Bernstein
"Hello Dolly!"
Jerry Herman

"Kiss me, Kate"
Cole Porter
"A chorus line"
Marvin Hamlisch

ATIVIDADE MUSICAL

MATERIAL:
Um tubo de borracha ou mangueira de aproximadamente 70 centímetros de comprimento por 1 centímetro de diâmetro e uma garrafa de plástico vazia.

Construa seu próprio instrumento de sopro com material reciclado.

1 Corte a parte superior da garrafa e introduza a parte da boca no interior de uma das extremidades da mangueira. Você já tem um instrumento de sopro básico.

2 Mas não basta soprar. Ao soprar, por entre os lábios, você faz vibrar o ar que está no tubo; com certeza você terá que praticar.

10. Final do séc. XX e início do séc. XXI

A música ao alcance de todos. Na atualidade, a música popular está em todas as partes e costuma ser trilha sonora particular, embora nós não percebamos. Estamos acostumados com sua presença constante. Aqui há exemplos do passado mais recente e do presente que prevê um futuro próximo e assombroso da música.

Escute no CD a música relacionada com este capítulo.

85

A música SE "EMPACOTA"

A partir da segunda metade do século XIX, alguns inventores, entre os quais se destaca Thomas Alva Edison, desenharam e aperfeiçoaram aparelhos para gravar e reproduzir som, e, portanto, a música. Pela primeira vez, uma pessoa podia desfrutar, por exemplo, dos estudos de Chopin interpretados por Arthur Rubinstein sem ir a uma sala de concertos.

O gramofone (1888) foi o mais inovador aparelho, e não foi Edison mas sim Emile Berliner quem o inventou.

A qualidade do som era diferente, assim como é hoje com os modernos e sofisticados equipamentos, mas a invenção recém-nascida acabava de colocar a música "ao alcance de todos".

O rock 'n' roll

Antecedentes
Nos Estados Unidos, a música negra, o jazz, e a música branca dos Estados do sul, o country, misturam-se em um estilo sentimental que também bebe na fonte do soul: **Nasceu o blues!**

Em 1955, um cantor branco chamado Bill Haley lançou no mercado uma peça rápida e sincopada com estrutura de blues e que consagrou definitivamente o rock 'n' roll. A peça foi ***Rock around the clock*** ou, traduzido, Ao balanço das horas.

Pouco tempo depois, um jovem de Tupelo, Mississippi, chamado Elvis Presley, revolucionou a maneira de cantar e de se apresentar no palco, com seu provocativo rebolado. Havia nascido o rei do rock. Com ele, nasceu um novo modelo de artista: aquele que atraía multidões.

Elvis Presley
O REI DO ROCK 'N' ROLL

A GUITARRA ELÉTRICA TOMA O PODER

No ano de 1950, um visionário chamado Leo Fender lançou no mercado a primeira guitarra elétrica sem caixa acústica, a atual Fender Telecaster. Quatro anos depois, em 1954, apareceu a guitarra elétrica mais famosa de todos os tempos, a Stratocaster.
A partir desse momento, esse instrumento evoluiu muito rápido, e é possível encontrar vários modelos adaptáveis para todas as necessidades e com diversos preços.

COLOQUE UM "riff" NA SUA VIDA

Com certeza, alguma vez você já escutou umas poucas notas de guitarra elétrica Stratocaster formando uma sequência repetida muito atrativa que lhe dá energia:

Você sabe como funciona uma guitarra elétrica?

O começo da música
"Sweet child of mine"
do grupo
GUNS n' ROSES

"Satisfaction"
do grupo
ROLLING STONES

"Smoke on the water"
do grupo
DEEP PURPLE

Esses pequenos grupos de notas, essas sequências curtas, contundentes e muito pessoais são chamadas de riff.

Ela não tem caixa de ressonância para amplificar a vibração de suas cordas, e utiliza microfones eletromagnéticos que são conhecidos como pastilhas para converter essas vibrações em impulsos elétricos. Essas pastilhas se conectam a um amplificador permitindo que a guitarra possa ser tocada.

Se pensar, por exemplo, nos carros ou nos eletrodomésticos da sua casa, você se dará conta de que são muito diferentes do que há 10 anos. No entanto, as guitarras elétricas mais famosas conservam seu desenho original. Repare nos instrumentos utilizados pelos músicos do Oasis, Blur, Coldplay ou Jonas Brothers: são guitarras Fender Stratocaster ou Gibson Les Paul, baixos Fender Jazz Bass ou até mesmo o velho baixo em forma de violino da casa Hohner que popularizou, nos anos 1960, Paul McCartney com os Beatles.

POP VERSUS ROCK

OS ANOS 1960 CONHECERAM, ALÉM DE DUAS MANEIRAS DE FAZER
MÚSICA, DUAS MANEIRAS DE PENSAR: O **POP** E O **ROCK**

O Pop

Baseado em harmonias populares e em melodias
diatônicas que buscavam a beleza
por meio da simplicidade, o pop representava
o inconformismo aceito socialmente.
São os bons, por assim dizer.

O Rock

Mais agressivo, transgredia as normas e fazia
da indignidade seu cânone: distorção harmônica
que os guitarristas desse estilo ainda fazem.
O rock se viu e se vê como algo contrário à
realidade que vivemos, são os maus.

Os Beatles versus Os Rolling Stones

*Os Beatles e os Rolling Stones foram os dois grupos
mais influentes na música moderna na segunda
metade do século XX. Os dois são de
origem britânica. Os Beatles
representam o pop com todas
as suas consequências,
enquanto os Rolling
Stones são os roqueiros
transgressores.
A banda Beatles
acabou em 1970.*

VOCÊS PODEM AGITAR SUAS JOIAS!

Durante uma atuação em Londres,
a qual havia sido solicitada pela
família real britânica, John Lennon
apresentou uma canção pedindo ao
público dos lugares mais baratos
que batessem palmas, e depois disse
ao público abastado: "Vocês
podem agitar suas joias!".

O REI

90

Jackson Five

DO pop

Nós já falamos do rei do swing e do rei do rock.
Agora é a vez do rei do pop: Michael Jackson, que morreu em 2009.

MICHAEL JACKSON

Começou nos anos 1960, ainda criança, como solista do grupo formado por ele e mais quatro irmãos: os Jackson Five.

Em 1978, Michael participou de The Wiz, uma regravação de "O Mágico de Oz", feita exclusivamente com artistas negros. Durante esse trabalho, conheceu Quince Jones, produtor, compositor e arranjador com quem trabalhou para dar vida ao disco mais vendido de todos os tempos: THRILLER.

Sua impactante qualidade e dois videoclipes originais serviram para representar na televisão o trabalho de Michael e revolucionaram a cena do pop.

Com certeza alguma vez você viu o videoclipe de *Thriller*, e deve se lembrar da dança dos zumbis. Se não o viu, o que está esperando?

A época dos festivais

festivais

O Festival Pop de Monterrey, em 1967, inaugurou uma época de festas musicais ao ar livre.

Em seguida, vieram o Festival da Ilha de Wight, em 1969; o Altamont Free Concert, 1969; e o Festival de Woodstock, 1970, este último com 1 milhão de espectadores.

Neles, além de escutar música, praticava-se uma forma de pensar e de viver: a paz e o amor dos *hippies*.

ESTRELAS BRILHANTES DO POP E DO ROCK

Jimi Hendrix

Joan Baez

Crosby   The Who   Still   Santana

Nash & Young

The Rolling Stones

The Doors

Bob Dylan

etc.

Foi em Woodstock que Jimi Hendrix queimou sua guitarra depois de interpretar com ela uma original versão do hino nacional norte-americano.

A mudança a caminho do século XXI

Madonna Louise Veronica Ciccone Fortín nasceu em Bay City, no Estado de Mishigan, Estados Unidos, no dia 16 de agosto de 1958. Cantora, compositora, produtora, atriz, estilista, escritora e diretora de cinema são algumas das atividades nas quais atua a considerada por todo o mundo como a rainha do pop.
Iniciou sua carreira musical em 1983, quando lançou seu primeiro álbum: Madonna. As vendas de seus discos são as mais altas da história da música pop feminina, e supera a cifra de 350 milhões de cópias vendidas. Entre seus shows mais recentes, destacam-se os ocorridos em todo o mundo em 2009, durante a turnê "Sticky and Sweet". A foto pertence a um momento durante sua atuação em Milão (Itália).

Fusões e tendências

O processo de globalização não se concentra somente na comercialização de produtos manufaturados ou matérias-primas, mas também na arte, em todas as suas formas, que está ao alcance de todos por mais longe que seja seu lugar de produção. Devido a isso, os artistas de diferentes estilos, cultura ou etnias podem trabalhar juntos sem dificuldade e o resultado é uma fusão estilística sem precedentes: o blues e o flamenco, a música celta com o pop ou as novas tecnologias associadas a uma orquestra sinfônica poderiam ser três exemplos escolhidos ao acaso das infinitas possibilidades que podem acontecer.

Saiba como se grava um disco

Canais de transmissão

- Em primeiro lugar, é preciso uma base rítmica, decidir qual será a velocidade da música, quanto durará e como será o final.
- A partir disso, são gravados os sons dos instrumentos, geralmente inicia-se com a bateria ou o baixo e termina com o cantor.
- Os instrumentos são gravados por canais (pistas de gravação); e é necessário um computador ou uma gravadora multicanais, mesa de som e microfonia.
- O número de canais e o poder de modificá-las – no jargão se conhece como edição – depende da potência do computador utilizado.
- Por fim, os erros são corrigidos digitalmente e selecionam-se os trechos que ficaram melhor, fazem-se as misturas, masteriza-se tudo para potencializar o som.

▶ O disco de vinil e a fita magnética, seja cassete ou para magnetofone, praticamente desapareceram e a música se empacota em formato digital.

▶ Além disso, a Internet está se convertendo em uma vitrine inigualável para os músicos exporem seus produtos diretamente ao público.

▶ Formatos como o MP3, ou outros ainda mais compactos, possibilitam um intercâmbio de informações mais acessíveis.

Tudo isso faz prever uma mudança anunciada que reestruture os canais de transmissão da música.

93

ORGANIZE SEU PRÓPRIO CONCURSO DE HISTÓRIA DA MÚSICA

MATERIAL:

O livro de história da música, cartolina, perguntas e um relógio para controlar o tempo.

Chegamos ao último capítulo e você adquiriu muitos conhecimentos musicais. Propomos um jogo que colocará à prova o que você aprendeu.

1 Corte a cartolina do tamanho de uma carta de baralho. Será preciso o mesmo número de cartas e de perguntas. Escreva as perguntas que lhe propomos e adicione outras. Você poderá escrevê-las à mão ou no computador.

Pergunta 1
Você sabe o que são os Colossos de Memnon?
Resposta: Capítulo 1.
Pergunta 2
Cite quatro das mais antigas tradições musicais conhecidas.
Resposta: Capítulo 2.
Pergunta 3
Você se lembra como se chama a musa da música?
Resposta: Capítulo 3.
Pergunta 4
Você se lembra o nome do monge que batizou as atuais sete notas musicais?
Resposta: Capítulo 4.
Pergunta 5
Como se chamam os violinos italianos mais famosos da história?
Resposta: Capítulo 5.
Pergunta 6
Como se chama o autor da "Flauta Mágica"?
Resposta: Capítulo 6.

2 Cada jogador deve responder uma pergunta por vez. Um dos outros jogadores tira uma carta, lê a pergunta em voz alta e conta um minuto de tempo. Se o jogador responder corretamente dentro do tempo estabelecido, fica com a carta, se não, coloca-se a carta debaixo do monte.

Pergunta 7
Quantas guitarras de Torres estão conservadas na atualidade?
Resposta: Capítulo 7.
Pergunta 8
Como se chama a obra famosa de Ravel cujo dois compassos se repetem 169 vezes?
Resposta: Capítulo 8.
Pergunta 9
Qual é o nome da cidade onde nasceu o jazz?
Resposta: Capítulo 9.
Pergunta 10
Você lembra o nome do rei do rock?
Resposta: Capítulo 10.

O jogo termina quando não restarem mais cartas. Ganha o jogo quem tiver mais cartas em seu poder.

HARMONIA
União e combinação de sons simultâneos e diferentes, que formam acordes.

 **SISTEMA CROMÁTICO**
Aplicado à harmonia, melodia ou instrumento que utiliza os 12 semitons da oitava.

 **CROMATISMO**
Emprego do sistema cromático na composição musical.

 **TOM**
Intensidade ou grau de maior ou menor elevação de um som ou da voz.

SEMITOM
Cada uma das duas partes desiguais nas quais se divide o intervalo de um tom.

INTERVALO
Diferença de altura entre duas notas musicais.

VIRTUOSISMO
Domínio da técnica de uma arte ou daquele que tem talento natural para ela. Especialmente para interpretar música.

ARTICULAÇÃO
Enlaçar os sons com clareza e distinção.

DINÂMICA
Grau de intensidade ou suavidade com a qual se interpreta um fragmento musical.

CONTRAPONTO
Combinação, segundo regras, de duas ou mais melodias ou linhas melódicas.

 **CRESCENDO**
Aumento gradual da intensidade de um som.

 POLIRRITMO
Variedade de ritmos.

 SÍNCOPE
Deslocamento da acentuação rítmica que resulta da união de dois sons iguais que estão em distintos tempos do compasso.

 COMPASSO
Ritmo, cadência de uma peça musical.

 FIGURA
Sinal da notação musical.

 TONALIDADE
Sistema de sete sons organizados na qual se baseia uma composição musical.

 PULSAÇÃO RÍTMICA
Precisão com que se realiza a pulsação das teclas do piano ou as cordas de um instrumento.

 TEMPO
Cada uma das partes de igual duração na qual se divide o compasso musical.

ALGUNS TERMOS MUSICAIS

Referências

DAS FOTOGRAFIAS:

Utilização exclusiva de todas as fotos para este livro de caráter educativo ou de formação sobre História da Música para crianças.
As fotos de agência contam com direitos universais de produção para este livro.

©FOTOLIA
p. 1, 8, 10, 12, 13, 17, 19, 21, 24, 25, 27, 30, 32, 36, 37, 40, 42, 43, 46, 47, 49, 52, 53, 54, 55, 56, 58, 59, 61, 62, 63, 64, 65, 70, 71, 76, 77, 78, 79, 80, 82, 83, 84, 86, 88, 91, 93, orelhas, capa, contracapa e guardas.

©AGE FOTOSTCK
p. 45, 50, 63, 64, 81, 86, 87, 89, 90, 92.

© ALEHOP, PARRAMÓN E DE OUTRAS PROCEDÊNCIAS
p. 2, 4, 5, 7, 8, 10, 14, 15, 16, 18, 19, 20, 21, 23, 24, 28, 30, 31, 32, 35, 37, 38, 39, 40, 41, 42, 44, 45, 46, 47, 48, 49, 50, 57, 65, 66, 67, 68, 69, 71, 73, 74, 75 ,78, 81, 84, 85, 88, 91, 92, 93, solapa, capa, contracapa e guardas.

Agradecemos a permissão de reprodução de fotos de músicos e artistas contemporâneos dado o caráter de obra eminentemente didática e informativa para crianças.

DO CD MUSICAL:

Coordenação: Jesús Araújo
Produção musical dos conteúdos (exceto correspondentes ao capítulo 10): Óscar Acevedo
Gravação e masterização do CD: A. Catalá. CAPITAL SOUND STUDIOS
Colaboração especial para sons exemplos do capítulo 10: Andrés-Luis Martínez Aceytuno

Licença do máster do CD obtida por meio de CAPITAL SOUND STUDIOS

A propriedade de máster do CD é de Parramón Ediciones, S.A.